P9-DVI-512

LES PARENTS TERRIBLES

ŒUVRES DE JEAN COCTEAU

POÉSIE

POÉSIE, 1916-1923 (Le Cap de Bonne-Espérance. — Ode à Picasso. — Poésies. — Vocabulaire. — Plain-Chant. — Discours du grand sommeil) *(Gallimard)*.
ESCALES, avec A. Lhote *(La Sirène)*.
LA ROSE DE FRANÇOIS *(F. Bernouard)*.
CRI ÉCRIT *(Montane)*.
PRIÈRE MUTILÉE *(Cahiers Libres)*.
L'ANGE HEURTEBISE *(Stock)*.
OPÉRA, ŒUVRES POÉTIQUES 1925-1927 *(Stock* et *Arcanes)*.
MYTHOLOGIE, avec G. de Chirico *(Quatre Chemins)*.
ÉNIGME *(Edit. des Réverbères)*.
MORCEAUX CHOISIS, POÈMES, 1916-1932 *(Gallimard)*.
LA CRUCIFIXION *(Edit. du Rocher)*.
POÈMES. (Léone. — Allégories. — La Crucifixion. — Neiges. — Un Ami dort) *(Gallimard)*.
LE CHIFFRE SEPT *(Seghers)*.
APPOGGIATURES *(Edit. du Rocher)*.
CLAIR-OBSCUR *(Edit. du Rocher)*.
POÈMES, 1916-1955 *(Gallimard)*.
PARAPROSODIES *(Edit. du Rocher)*.
CÉRÉMONIAL ESPAGNOL DU PHÉNIX suivi de LA PARTIE D'ÉCHECS *(Gallimard)*.
LE REQUIEM *(Gallimard)*.
LE CAP DE BONNE-ESPÉRANCE *suivi du* DISCOURS DU GRAND SOMMEIL *(Gallimard)*.

POÉSIE DE ROMAN

LE POTOMAK *(Stock)*.
THOMAS L'IMPOSTEUR *(Gallimard)*.
LE GRAND ÉCART *(Stock)*.
LE LIVRE BLANC *(Quatre Chemins)*.
LES ENFANTS TERRIBLES *(Grasset)*.
LA FIN DU POTOMAK *(Gallimard)*.
DEUX TRAVESTIS *(Fournier)*.

POÉSIE CRITIQUE

LE RAPPEL A L'ORDRE (Le Coq et l'Arlequin. — Carte Blanche. — Visites à Barrès. — Le Secret professionnel. — D'un Ordre considéré comme une anarchie. — Autour de Thomas l'imposteur. — Picasso) *(Stock)*.
LETTRE A JACQUES MARITAIN *(Stock)*.
UNE ENTREVUE SUR LA CRITIQUE *(Champion)*.
OPIUM *(Stock)*.
ESSAI DE CRITIQUE INDIRECTE (Le Mystère laïc. — Des Beaux-Arts considérés comme un assassinat) *(Grasset)*.
PORTRAITS-SOUVENIRS *(Grasset)*.
MON PREMIER VOYAGE (Tour du monde en 80 jours) *(Gallimard)*.
LE GRECO *(Au Divan)*.
LA BELLE ET LA BÊTE (Journal d'un film) *(Edit. du Rocher)*.
LE FOYER DES ARTISTES *(Plon)*.
LA DIFFICULTÉ D'ÊTRE *(Edit. du Rocher)*.
REINES DE FRANCE *(Grasset)*.
DUFY *(Flammarion)*.
LETTRE AUX AMÉRICAINS *(Grasset)*.
MAALESH (Journal d'une tournée de théâtre) *(Gallimard)*.
MODIGLIANI *(Hazan)*.
JEAN MARAIS *(Calmann-Lévy)*.
JOURNAL D'UN INCONNU *(Grasset)*.
GIDE VIVANT *(Amiot-Dumont)*.
DÉMARCHE D'UN POÈTE *(Bruckmann)*.
DISCOURS DE RÉCEPTION A L'ACADÉMIE FRANÇAISE *(Gallimard)*.
COLETTE (Discours de Réception à l'Académie royale de Belgique) *(Grasset)*.
LE DISCOURS D'OXFORD *(Gallimard)*.
ENTRETIENS SUR LE MUSÉE DE DRESDE, avec Louis Aragon *(Editeurs français)*.
LA CORRIDA DU PREMIER MAI *(Grasset)*.
LE CORDON OMBILICAL *(Plon)*.

POÉSIE DE THÉATRE

THÉATRE I : Antigone. — Les Mariés de la Tour Eiffel. — Les Chevaliers de la Table Ronde. — Les Parents terribles *(Gallimard)*.
THÉATRE II : Les Monstres sacrés. — La Machine à écrire. — Renaud et Armide. — L'Aigle à deux têtes *(Gallimard)*.
ŒDIPE ROI. — ROMÉO ET JULIETTE *(Plon)*.
ORPHÉE *(Stock)*.

(Suite des œuvres en fin de volume)

JEAN COCTEAU
de l'Académie française

Les parents terribles

THÉATRE

GALLIMARD

LES PARENTS TERRIBLES

à YVONNE DE BRAY

qui m'a inspiré cette pièce et qui, tombant malade, ne put la jouer.

A ceux qui furent mes extraordinaires interprètes.

JEAN.

PRÉFACES

PRÉFACE I
(écrite avec la pièce).

Dans une pièce moderne le casse-tête me semble de faire un grand jeu et de rester un peintre fidèle d'une société à la dérive. J'ai voulu essayer ici un drame qui soit une comédie et dont le centre même serait un nœud de vaudeville si la marche des scènes et le mécanisme des personnages n'étaient dramatiques. J'ai beaucoup tenu à peindre une famille capable de se contredire et d'agir avec mystère tout en respectant le volume d'une pièce qui, pour frapper sur la scène, doit paraître d'un seul bloc. Il est plus simple de paraître d'un seul bloc si quelque personnage central ne s'écarte jamais d'un vice ou d'une vertu qu'il possède et si ses comparses ne changent pas non plus leur ligne de bout en bout. Le problème de ces trois actes consistait donc à montrer des rôles qui ne fussent pas d'une haleine; capables de retours, de détours, d'élans et de reprises et qui formassent très naturellement un total d'une seule haleine et d'un seul poids.

Il résulte de cette méthode que les rôles doivent être sacrifiés à la pièce et la servir au lieu de se servir d'elle. C'est ainsi qu'au deuxième acte, la mère s'efface au bénéfice de la jeune femme, qu'au premier acte cette jeune femme ne paraît pas et n'existe que par le fantôme qu'elle suscite et que le père ne donne sa mesure qu'au dernier acte après avoir mis sur scène une apparence de faiblesse, d'égoïsme et de cruauté.

Deux rôles forment l'équilibre de l'ordre et du désordre qui motivent ma pièce. Le jeune homme dont le désordre est pur; sa tante dont l'ordre ne l'est pas. J'ai poussé aussi loin que possible une attitude qui m'est propre : celle de rester extérieur à l'œuvre, de ne défendre aucune cause et de ne pas prendre parti.

Le théâtre doit être une action et non point une bonne ou une mauvaise action. La France ne nous oblige plus à jouer au moraliste et la grande difficulté à vaincre doit être d'obtenir du style, sans aucune recherche de langue et sans perdre le naturel.

Ajouterai-je que j'ai inventé mes types, que je n'ai imité personne que je puisse connaître? Je ne me suis soucié, pour leur assurer la vie, que d'un enchaînement logique de circonstances illogiques. Cette fois le timbre de voix et l'allure particulière de certains acteurs, que j'avais en vue, m'ont aidé dans mon entreprise.

PRÉFACE II
(écrite au théâtre).

Voici, sans aucun doute, la plus délicate et la plus périlleuse de toutes mes entreprises. S'enfermer dans un hôtel de Montargis et tourner le dos au scandale de la mise en scène. L'avouerai-je? Je me trouve à l'origine de ce scandale. Mais un scandale commence à devenir scandaleux, lorsque, de salubre, de vif qu'il était, il en arrive au dogme et, dirai-je, lorsqu'il rapporte.

Après Antoine, il était normal de mettre en marche de gros mécanismes de décors, de costumes et de gestes. Nous le fîmes. Aujourd'hui le texte prétexte, la mise en scène excentrique, sont devenus chose courante. Le public les exige. Il est donc essentiel de changer les règles du jeu.

Revenir en arrière est impossible. Mais renouer avec de subtils exemples est tentant. Je me souviens d'une époque ou le " Boulevard " régnait en maître. On ne signait pas une mise en scène. Le naturel de L. Guitry, de Réjane, était le naturel des planches, aussi en relief que les excès des monstres sacrés du drame : Sarah Bernhardt, Mounet-Sully, de Max. A cette époque, je rêvais le théâtre à travers des programmes, des titres, des affiches, les départs de ma mère en robe de velours rouge. J'imaginais un théâtre, et ce théâtre de rêve m'influençait.

A Montargis, j'essayai d'écrire une pièce qui, loin de servir de prétexte à une mise en scène, servirait de prétexte à de grands comédiens. J'ai, de longue date, employé des décors qui jouent. *Une porte permettant au malheur d'entrer et de sortir. Une chaise, au destin de s'asseoir. Je détestais les surcharges. J'en arrivai à les éviter toutes. Il fallait écrire une pièce moderne et nue, ne donner aux artistes et au public aucune chance de reprendre haleine. Je supprimai le téléphone, les lettres, les domestiques, les cigarettes, les fenêtres en trompe-l'œil, et jusqu'au nom de famille qui limite les personnages et prend toujours un air suspect. Il en résulta un nœud de vaudeville, un mélodrame, des types qui, tout en étant d'un bloc, se contredisent. Une suite de scènes — véritables petits actes — où les âmes et les péripéties soient, chaque minute, à l'extrémité d'elles-mêmes.*

Le théâtre populaire — un théâtre digne du public qui ne préjuge pas — ne serait-il pas un théâtre de cet ordre et l'échec des œuvres incapables de vivre sans subterfuges décoratifs?

LES PARENTS TERRIBLES

ont été représentés pour la première fois au théâtre des Ambassadeurs, *le 14 novembre 1938.*

PERSONNAGES

YVONNE	Germaine Dermoz.
LÉONIE	Gabrielle Dorziat.
MADELEINE	Alice Cocéa.
GEORGES	Marcel André.
MICHEL.	Jean Marais.

Décors de Guillaume Monin.

A Paris de nos jours.

DÉCORS

Acte I : Chambre d'Yvonne.
Acte II : Chez Madeleine.
Acte III : Chambre d'Yvonne.

NOTE

Les chambres seront celles de cette famille en désordre et de Madeleine (le contraire).

Un seul détail obligatoire : Les décors, très réalistes, seront construits assez solidement pour que les portes puissent claquer.

LÉO (Léonie) répète souvent : “ *Chez vous, c'est la maison des portes qui claquent.* ”

ACTE I

LA CHAMBRE D'YVONNE

Au second plan à gauche, porte de la chambre de Léo. Au premier plan à gauche, fauteuil et coiffeuse. Au fond à gauche, porte sur l'appartement. Au fond à droite, de face aussi, porte de la salle de bains qu'on devine blanche et très éclairée. Au deuxième plan à droite, porte d'entrée sur le vestibule. Premier plan à droite, de profil, le lit très vaste et très en désordre. Fourrures, châles, etc...

Au bout du lit une chaise.

Centre au fond, chiffonnier.

Près du lit, petite table avec lampe. Lustre central éteint. Des peignoirs traînent.

Les fenêtres sont censées ouvertes dans le mur idéal. Il en arrive une lumière sinistre : celle de l'immeuble d'en face.

Pénombre.

SCÈNE I

GEORGES, *puis* LÉO, *puis* YVONNE

Lorsque le rideau se lève, Georges court du cabinet de toilette à la porte de Léo et crie en claquant cette porte.

GEORGES. — Léo! Léo! Vite... Vite... Où es-tu?

Voix de LÉO. — Michel a donné signe de vie?

GEORGES, *criant.* — Il s'agit bien de Michel... Dépêche-toi.

LÉO, *ouvre la porte. Elle entre, en passant une robe de chambre élégante.* — Qu'y a-t-il?

GEORGES. — Yvonne s'est empoisonnée.

LÉO, *stupéfaite.* — Quoi?

GEORGES. — L'insuline... Elle a dû remplir la seringue.

LÉO. — Où est-elle?

GEORGES. — Là... Dans le cabinet de toilette...

Yvonne ouvre la porte entrouverte du cabinet de toilette et apparaît en peignoir éponge, livide, se tenant à peine debout.

LÉO. — Yvonne... Qu'est-ce que tu as fait? (*Elle traverse la scène et la soutient.*) Yvonne! (*Yvonne fait un signe — le signe non.*) Parle-nous... Parle-moi...

YVONNE, *presque inintelligible.* — Sucre.

GEORGES. — Je vais téléphoner à la clinique. C'est dimanche; il n'y aura personne...

LÉO. — Reste. Vous perdez la tête... Heureusement que je suis là. (*Elle couche Yvonne sur le lit.*) Tu ne sais pas encore qu'il faut manger après l'insuline et que si on n'a pas mangé il faut du sucre.

GEORGES. — Mon Dieu!

Il entre dans le cabinet et sort, un verre d'eau à la main. Léo le lui prend et fait boire Yvonne...

LÉO. — Bois... Essaie, fais l'impossible... Ne te crispe pas, ne te laisse pas aller. Tu ne vas pas mourir avant d'avoir revu Michel.

Yvonne se soulève et boit.

GEORGES. — Que je suis bête. Sans toi, Léo, elle mourait; je la laissais mourir sans comprendre.

LÉO, *à Yvonne.* — Comment te sens-tu?

YVONNE, *très bas.* — C'est immédiat. Je vais

mieux. Je vous demande pardon. J'ai été grotesque...

GEORGES. — J'entends encore le professeur : « Surtout pas le sucre de chez vous. C'est rarement du sucre. Achetez du sucre de canne. » Le verre est toujours préparé d'avance, le sucre fondu.

YVONNE, *d'une voix plus claire*. — C'est ma faute.

LÉO. — Avec une folle comme toi.

YVONNE, *elle se redresse et sourit*. — J'étais plus folle que d'habitude...

GEORGES. — C'est justement ce qui m'a trompé.

YVONNE. — Léo n'est pas folle, elle. Je n'aurais pas réservé cette surprise charmante à Mik...

GEORGES. — Il n'a pas tes scrupules.

YVONNE. — Ouf! (*A Léo.*) Merci, Léo. (*Elle s'appuie sur les oreillers.*) Voici ce qui est arrivé. Il était cinq heures, l'heure de ma piqûre. J'ai pensé que ce serait une distraction. Une fois la piqûre finie, j'ai cru entendre l'ascenseur qui s'arrêtait à l'étage. J'ai couru dans l'antichambre. Je m'étais trompée. En revenant dans la salle de bains, je me suis presque trouvée mal. Georges est arrivé par miracle!

GEORGES. — Par miracle. Je venais voir si tu dormais un peu.

LÉO. — Les voilà avec leurs miracles! Tu travaillais dans la lune... Tu as entendu sonner cinq heures, pas dans la lune, et tu as marché dans la lune, jusqu'à la chambre d'Yvonne.

GEORGES. — C'est possible, Léo. Tu es plus forte que moi. Je croyais être venu chez Yvonne par hasard...

YVONNE. — Par miracle, mon bon Georges. Sans toi!...

GEORGES. — Et sans Léo...

YVONNE, *riant, tout à fait bien.* — Sans vous je risquais de rendre beaucoup de mal pour un peu de mal...

GEORGES. — Pour beaucoup de mal, Yvonne. Je ne vois qu'une chose : Michel n'est pas rentré hier soir. Michel a découché. Michel n'a donné aucun signe de vie. Michel te connaît. Il devine l'état où tu dois être... Tu as oublié le sucre parce que tu as les nerfs à bout. C'est monstrueux.

YVONNE. — Pourvu qu'il ne lui soit rien arrivé de grave. Un dimanche, on ne trouve personne. Peut-être qu'un de ses camarades n'ose pas nous téléphoner, nous prévenir...

GEORGES. — Les choses graves, Yvonne, on les apprend tout de suite. Non, non. C'est in-cro-yable!

Il prononce ce mot en séparant les lettres, d'une manière spéciale et comme entre guillemets.

YVONNE. — Mais où peut-il être? Où est-il?

LÉO. — Écoute, Yvonne, après ce choc ne t'excite pas. Georges, ne l'excite pas. Retourne à ton travail, je t'appellerai si nous avons besoin de toi.

YVONNE. — Essaie de travailler...

GEORGES, *il se dirige vers la porte, de face au fond à gauche.* — J'aligne des chiffres. Je me trompe et je recommence.

Il sort.

SCÈNE II

YVONNE, LÉO

YVONNE. — Léo, où cet enfant a-t-il couché? Comment ne se dit-il pas que je deviens folle?... Comment ne me téléphone-t-il pas? Enfin, ce n'est pas difficile de téléphoner...

LÉO. — Cela dépend. S'il faut mentir, les êtres propres, neufs, maladroits comme Michel, détestent le téléphone.

YVONNE. — Pourquoi Mik mentirait-il?

LÉO. — De deux choses l'une : Ou bien il n'ose ni rentrer, ni téléphoner. Ou bien il se trouve si bien ailleurs qu'il ne pense ni à l'une ni à l'autre. De toute manière, il cache quelque chose.

YVONNE. — Je connais Mik. Tu ne vas pas m'apprendre à le connaître. Oublier de rentrer, il n'en est pas question. Et, s'il n'ose pas prendre le téléphone, c'est peut-être qu'il court un danger mortel. Peut-être qu'il ne peut pas téléphoner.

LÉO. — On peut toujours téléphoner. Michel peut et ne veut pas téléphoner.

YVONNE. — Depuis ce matin tu es drôle, tu as l'air trop calme. Tu sais quelque chose.

LÉO. — Je ne sais pas quelque chose. Je suis sûre de quelque chose. Ce n'est pas pareil.

YVONNE. — De quoi es-tu sûre?

LÉO. — Ce n'est pas la peine de te le dire, tu ne le croirais pas. Tu t'écrierais sans doute : “ *C'est in-cro-yable* ” car, c'est incroyable ce que vous pouvez tous employer ce mot, depuis quelque temps.

YVONNE. — Écoute!... C'est un mot de Michel...

LÉO. — Possible. Mais quelquefois un mot arrive du dehors, dans une famille qui l'adopte. Il est apporté par l'un ou par l'autre. Je trouve à votre “ in-cro-yable ” un petit air d'enfant volé. D'où vient-il? Je me le demande. J'aimerais beaucoup savoir d'où il vient.

YVONNE, *riant*. — Il n'y a rien d'extraordinaire à ce que des maniaques, des fous, des romanichels, des voleurs d'enfants, une famille qui habite une roulotte...

LÉO. — Tu plaisantes, Yvonne, parce que j'ai dit que vous habitiez une roulotte. Mais c'est exact. Je le répète. Et il est exact aussi que vous êtes des fous.

YVONNE. — La maison est une roulotte, j'en conviens. Nous sommes des fous, j'en conviens. A qui la faute?

LÉO. — Tu vas me sortir grand-père!

YVONNE. — Qui collectionnait des points et virgules. Il comptait les points et virgules de Balzac. Il disait : “ J'ai trente-sept mille points et virgules dans *La cousine Bette*. ” Et il croyait se tromper, et il recommençait ses calculs. Seulement à l'époque on ne disait pas un fou. On disait “ un maniaque ”. Aujourd'hui, avec un peu de complaisance, tout le monde passerait pour fou.

LÉO. — Mettons que vous soyez des maniaques. Tu le reconnais.

YVONNE. — Toi aussi, dans ton genre, tu es une maniaque.

LÉO. — C'est probable... Une maniaque d'ordre comme vous êtes des maniaques de désordre. Tu sais fort bien pourquoi notre oncle m'a légué sa très petite fortune. Il sous-entendait que je vous ferais vivre.

YVONNE. — Léonie!

LÉO. — Ne te fâche pas. Je ne formule aucun grief. Personne n'admire Georges plus que moi. Et je suis trop heureuse que, grâce à ce legs, il puisse poursuivre ses recherches.

YVONNE. — Alors, que toi, toi! tu prennes ces recherches au sérieux... ça me dépasse... Tiens, Georges, voilà le type de maniaque. Perfectionner le fusil sous-marin! Entre nous, c'est ridicule, à son âge!...

LÉO. — Georges est un enfant. Il n'a lu que ses

livres d'école et Jules Verne. C'est un bricoleur, mais c'est un inventeur. Tu es injuste.

YVONNE. — L'affaire des munitions... J'admets : parce que Georges est un ami de collège du Ministre! J'admets... bien que la commande traîne. Quant au fusil sous-marin à balles... Veux-tu que je te dise ce que j'en pense? Il manquait à la roulotte un " tireur sous-marin ". Moi, avec mes vieux peignoirs et mes réussites, je suis la tireuse de cartes. Toi, la dompteuse; tu serais superbe en dompteuse... et Mik... Mik...

Elle cherche.

LÉO. — La huitième merveille du monde.

YVONNE. — Tu es méchante...

LÉO. — Je ne suis pas méchante, je t'observe depuis hier, Yvonne, et je me félicite d'avoir apporté un peu d'ordre dans la roulotte. En ce monde il y a les enfants et les grandes personnes. Je me compte, hélas, parmi les grandes personnes. Toi... Georges... Mik, vous êtes de la race des enfants qui ne cessent jamais de l'être, qui commettraient des crimes...

YVONNE, *l'arrêtant.* — Chut... Écoute... (*Silence.*) Non. Je croyais entendre une voiture. Tu parlais de crimes... Si je ne m'abuse, tu nous traitais même de criminels.

LÉO. — Comme tu écoutes mal... Je te parlais de crimes qu'on peut commettre par inconscience.

Il n'existe pas d'âmes simples. N'importe quel prêtre de campagne te dira que le moindre village abrite des instincts de meurtre, d'inceste, de vol, qu'on ne rencontre pas dans les villes. Non, je ne vous traitais pas de criminels. Au contraire! Une vraie nature de criminel est quelquefois préférable à cette pénombre où vous vous complaisez et qui me fait peur.

YVONNE. — Mik a sans doute bu une goutte de champagne. Il n'a pas l'habitude. Il est resté chez un camarade. Peut-être dort-il. Peut-être a-t-il honte de sa fugue. Je le trouve impardonnable de m'avoir fait passer cette nuit d'angoisse et cette journée sans fin, mais je t'avoue que je ne peux pas le trouver criminel!

LÉO, *elle s'approche du lit d'Yvonne.* — Yvonne, je voudrais savoir si tu te moques de moi.

YVONNE. — Hein?

LÉO, *elle lui lève le visage par le menton.* — Non. Je croyais que tu crânais, que tu jouais un rôle. Je me trompais. Tu es aveugle.

YVONNE. — Explique-toi.

LÉO. — Michel a passé la nuit chez une femme.

YVONNE. — Michel?

LÉO. — Michel.

YVONNE. — Tu perds la tête. Mik est un enfant. Tu le disais toi-même il y a une minute...

LÉO. — C'est toi qui perds la tête. J'ai dit que

vous étiez, toi, Georges et Michel, d'une race d'enfants, une race dangereuse que j'opposais à la race des grandes personnes. Mais Michel n'est plus un enfant à la manière dont tu l'imagines. C'est un homme.

YVONNE. — Il n'a pas fait son service.

LÉO. — A cause de ses bronches et du ministre, ma chère Yvonne. Ce service libérait Michel. Il ne fallait à aucun prix qu'il s'éloigne. Il a vingt-deux ans.

YVONNE. — Eh bien...

LÉO. — Tu es fantastique... Tu sèmes, tu sèmes, et tu ne vois même pas la récolte.

YVONNE. — J'ai semé quoi? Et je récolte quoi?

LÉO. — Tu as semé du linge sale, des cendres de cigarettes, que sais-je? Et tu récoltes ceci : que Michel étouffe dans votre roulotte et qu'il a fallu qu'il cherche de l'air.

YVONNE. — Et tu prétends qu'il cherche de l'air chez des femmes, qu'il fréquente des grues.

LÉO. — Voilà le style des familles qui revient. Sais-tu pourquoi Michel n'a pas téléphoné? Pour ne pas entendre au bout du fil : " Rentre, mon enfant, ton père a à te parler " ou quelque baliverne de ce genre, et c'est moi, moi qui veille sur la roulotte, moi l'ordre, moi la maniaque d'ordre, la seule à ne pas me draper dans les vestiges de la bourgeoisie. Qu'est-ce qu'une famille bourgeoise?

je te le demande : c'est une famille riche, en ordre avec des domestiques... Chez nous, pas d'argent, pas d'ordre et pas de domestiques. Les domestiques restaient quatre jours. Il a fallu que je m'arrange, grâce à une femme de ménage (qui ne vient pas le dimanche). Mais les phrases et les principes tiennent bon. L'épave de la bourgeoisie! Nous ne sommes pas une famille artiste. Nous n'avons pas le type bohémien. Alors?

YVONNE. — Qu'est-ce que tu as, Léo... Tu t'exaltes...

LÉO. — Je ne m'exalte pas. Mais il y a des moments où votre roulotte, votre épave, dépassent les bornes. Sais-tu pourquoi une montagne de linge sale s'empile au beau milieu de la chambre de Michel? Sais-tu pourquoi Georges pourrait écrire ses calculs dans la poussière de sa table d'architecte, pourquoi la baignoire bouchée depuis une semaine n'est pas encore débouchée? Eh bien, c'est que, quelquefois, j'ai une espèce de jouissance à vous laisser vous enfoncer, vous enfoncer, vous enliser, à voir ce qui arriverait si cela continuait... et puis ma manie d'ordre prend le dessus et je vous sauve.

YVONNE. — Et, selon toi, notre roulotte aurait poussé Michel à se chercher... un intérieur... chez une femme...

LÉO. — Il n'est pas le seul.

YVONNE. — Tu parles de Georges?

LÉO. — Je parle de Georges.

YVONNE. — Tu accuses Georges de me tromper?

LÉO. — Je n'accuse personne. Puisque je ne profite pas des avantages de la bourgeoisie, je me refuse aux mensonges qui viennent d'une vieille habitude sinistre de chuchoter et de fermer les portes dès qu'on parle de naissance, de fortune, d'amour, de mariage ou de mort.

YVONNE. — Tu as découvert que Georges me trompe?

LÉO. — Tu le trompes bien, toi!

YVONNE. — Moi... Je trompe Georges? Et avec qui?

LÉO. — Depuis le jour de la naissance de Michel tu as trompé Georges. Tu as cessé de t'occuper de Georges pour ne t'occuper que de Michel. Tu l'adorais... tu en étais folle et ton amour n'a fait que grandir tandis que Michel grandissait. Ils grandissaient ensemble. Et Georges restait seul... Et tu t'étonnes qu'il ait cherché de la tendresse ailleurs. Tu croyais naïvement que la roulotte n'avait qu'à être une roulotte.

YVONNE. — En admettant que toutes ces folies soient véritables... que Georges (qui ne s'intéresse à rien en dehors de ses soi-disant inventions) ait une maîtresse et que Michel (qui me raconte tout, pour qui je suis un camarade) ait passé la nuit chez une femme, pourquoi donc avoir tant tardé à me l'apprendre?

LÉO. — Je ne te croyais pas aveugle. Je pensais : C'est impossible. Yvonne s'arrange. Elle ferme les yeux...

YVONNE. — Georges encore... aurait des excuses... après vingt ans de mariage l'amour change de forme. Il existe une parenté entre époux qui rendrait certaines choses très gênantes, très indécentes, presque impossibles.

LÉO. — Tu es une drôle de femme, Yvonne.

YVONNE. — Non... mais je dois te paraître drôle, parce que tu me considères de si loin. Pense donc !... tu as toujours été belle, ondulée, tirée à quatre épingles, élégante, brillante, et moi je suis venue au monde avec un rhume des foins, avec des mèches de travers et des peignoirs criblés de trous de cigarettes. Si je mets de la poudre ou du rouge j'ai l'air d'une grue.

LÉO. — Tu as quarante-cinq ans et j'en ai quarante-sept.

YVONNE. — Tu as l'air plus jeune que moi.

LÉO. — Georges ne t'en a pas moins choisie. Nous étions fiancés. Tout à coup, il a décidé que c'était toi qu'il voulait, toi qu'il épousait...

YVONNE. — Tu n'y tenais pas beaucoup. Tu nous as presque poussés l'un vers l'autre.

LÉO. — Cela me regarde. Je respecte Georges. J'ai craint que chez moi tout ne se passe ici. (*Elle montre son front.*) Chez toi tout se passait là et là.

(*Elle désigne son cœur et son ventre.*) Je ne savais pas que tu voulais si fortement un fils — et vous autres, gens de la lune, ce que vous voulez on vous l'accorde — et que tu deviendrais folle de ce fils au point de lâcher Georges.

YVONNE. — Georges pouvait se réfugier auprès de toi.

LÉO. — Tu aurais voulu que je couche avec Georges pour t'en débarrasser... je reste vieille fille. Merci.

YVONNE, *avec lassitude.* — Écoute!...

LÉO. — Et du reste, je n'y ai aucun mérite. Il n'aurait pas voulu de moi. Il cherche la jeunesse...

YVONNE. — Tiens... tiens... tiens...

LÉO. — Ton incrédulité ne change pas mon opinion.

YVONNE. — Tu t'es faite détective...

LÉO. — Je ne moucharde pas Georges. Il est libre. Michel est libre. Mais il y a des indices qui ne trompent pas une femme aussi femme que moi, même si elle est restée vieille fille. Il y a un fantôme de femme, un fantôme de très jeune femme qui circule dans la maison.

YVONNE. — C'est in-cro-yable.

LÉO. — Et voilà cet in-cro-yable dont je te parlais. Il nous arrive de Georges. Il l'avait avant Michel. Il l'a donné à Michel et il te l'a donné comme une maladie honteuse.

YVONNE. — Et sans doute Michel aussi me trompait... Je veux dire... me mentait.

LÉO. — Le terme était exact. Inutile de te reprendre. Il te trompait. Il te trompe.

YVONNE. — Je ne peux pas l'imaginer. C'est impossible. Je ne veux pas, je ne peux pas l'imaginer.

LÉO. — Tu supportes d'imaginer un Georges qui te trompe. Ce spectacle te laisse tranquille. Michel, c'est une autre affaire...

YVONNE. — Tu mens. J'ai toujours été pour Michel un camarade. Il peut tout me dire..

LÉO. — Aucune mère n'est le camarade de son fils. Le fils devine vite l'espion derrière le camarade et la femme jalouse derrière l'espion.

YVONNE. — Je ne suis pas une femme aux yeux de Mik.

LÉO. — C'est ce qui te trompe. Michel n'est pas un homme à tes yeux. C'est le petit Michel que tu portais dans son lit et que tu laissais entrer et jouer dans ton cabinet de toilette. Aux yeux de Michel tu es devenue femme. Et c'est là que tu as eu tort de n'être pas coquette. Il t'a observée, jugée. Il a quitté la roulotte.

YVONNE. — Et où le pauvre Michel trouverait-il le temps de se consacrer à cette femme mystérieuse?

LÉO. — Le temps est élastique. Avec un peu d'adresse on peut avoir l'air d'être toujours dans un endroit et être toujours dans un autre.

YVONNE. — Il rapporte des dessins de ses cours.

LÉO. — Trouves-tu Mik très très doué pour le dessin?

YVONNE. — Il est doué pour une foule de choses.

LÉO. — Justement. Il a des dons de touche-à-tout. Les pires. Et, de plus, il appartient à une génération qui confondait la poésie et l'ivresse de ne rien faire. Michel est d'une génération qui flâne. Cette génération est loin d'être bête. Crois-tu qu'il rapporterait le genre de dessins qu'il rapporte s'il se rendait au cours? Je suis certaine qu'il en rapporterait d'autres.

YVONNE. — Je lui avais interdit l'académie de nu.

LÉO. — Est-il possible que tu te sois donné ce ridicule?

YVONNE. — Il avait dix-huit ans...

LÉO. — Tu n'as aucun sens des âges ni des sexes.

YVONNE. — Je sais que nous...

LÉO. — Tu ne vas pas comparer un garçon de dix-huit ans, en pleine force malgré ses fameuses bronches, élevé dans une roulotte, avec deux femmes dont l'une passe sa vie en peignoir éponge et l'autre a renoncé à vivre.

YVONNE. — Michel travaille.

LÉO. — Non. Michel ne travaille pas. Et tu ne veux pas qu'il travaille. Tu ne tiens pas à ce qu'il travaille.

YVONNE. — Voilà du nouveau.

LÉO. — Tu as toujours empêché Michel de prendre du travail.

YVONNE. — Pour ce qu'on lui offrait.

LÉO. — On lui offrait des places de débutant et où il pouvait gagner de quoi vivre.

YVONNE. — Je me suis renseignée chaque fois. Ces places étaient stupides et le mettaient en contact avec une quantité de gens de cinéma, de gens d'automobile, de gens affreux.

LÉO. — Ici nous approchons de la vérité. Nous sommes moins loin du mensonge. Tu redoutais de voir Michel prendre le large. Tu le voulais dans tes jupes. Tu voulais qu'il quitte la roulotte le moins possible. Et tu l'as découragé de chercher une situation.

YVONNE. — Georges lui trouvait des places extravagantes.

LÉO. — Une d'elles était une très bonne place. Mais il fallait voyager. Aller au Maroc. Tu lui as défendu d'aller au rendez-vous.

YVONNE. — J'agis comme bon me semble.

LÉO. — Et tu as la naïveté de croire que Michel ne passe pas entre les mailles du filet.

YVONNE. — C'est lui qui refusait de sortir.

LÉO. — Lui en as-tu donné souvent l'occasion? As-tu cherché à ce qu'il rejoigne des bandes de jeunes gens et de jeunes filles? Avais-tu admis d'envisager son mariage?

YVONNE. — Le mariage de Mik!

LÉO. — Parfaitement. Beaucoup de jeunes gens se marient à vingt-trois ans, vingt-quatre, vingt-cinq ans...

YVONNE. — Mik est un bébé.

LÉO. — Et s'il ne l'était plus?

YVONNE. — Je serais la première à lui chercher une femme...

LÉO. — Oui... Une jeune fille bien laide et bien stupide qui te permettrait de garder ton rôle et de surveiller ton fils.

YVONNE. — C'est faux. Michel est libre. Dans la mesure où je peux laisser libre un garçon très naïf et très recherché.

LÉO. — Je te mets en garde, n'essaie pas de chambrer Michel. Il pourrait s'en apercevoir et t'en vouloir.

YVONNE. — Je ne te savais pas si grande psychologue. (*Sans transition.*) Mon Dieu! On sonne à la porte! (*Sonnerie dans l'antichambre.*) Oh! Vas-y, Léo, vas-y vite. Je n'aurais pas la force de me tenir debout.

Léo sort par la porte de droite. A peine seule, Yvonne saisit le sac oublié par Léo sur le lit, l'ouvre, se regarde dans la petite glace, se poudre les coins du nez, se recoiffe. La porte s'ouvre. Elle a juste le temps de jeter le sac où il était. Entrent Léo et Georges. Georges allume.

SCÈNE III

YVONNE, LÉO, GEORGES, *puis* MICHEL

YVONNE, *se détournant.* — Qui est-ce qui allume?

GEORGES. — C'est moi. J'éteins... J'avais cru... Il fait si sombre dans ta chambre.

YVONNE. — J'aime l'obscurité. Qui était-ce?

LÉO. — Un client du docteur au-dessus qui se trompait d'étage. Nous lui avons évité un étage. Tous les dimanches le docteur est à la chasse.

Silence.

GEORGES. — Rien de neuf?

YVONNE. — Rien... Jusqu'à ce coup de sonnette.

GEORGES. — Le professeur aussi est à la chasse. On serait malade... le dimanche on peut mourir.

Silence.

YVONNE. — Du reste... je suis idiote. Il a les clefs.

GEORGES. — Il est intolérable que les clefs de l'appartement traînent n'importe où...

YVONNE. — D'autant plus qu'il a pu les perdre.

GEORGES. — Et un beau jour on s'étonne d'être assassiné! Il doit me les rendre.

LÉO. — Il eſt dommage que l'on ne puisse pas enregiſtrer votre dialogue.

Ils sont tous groupés au premier plan. Pendant qu'ils parlent, Michel entre sans être entendu, par la porte de droite. Il a l'air gai d'un garçon qui a fait une farce.

YVONNE. — Quelle heure eſt-il?

MICHEL. — Six heures.

Tous se lèvent d'un bond. Yvonne elle-même, debout près du lit.

MICHEL. — Ce n'eſt pas mon spectre. C'eſt moi!

GEORGES. — Michel, tu as fait une peur effroyable à ta mère. Regarde-la. Comment es-tu rentré?

MICHEL, *pendant que Léo recouche Yvonne.* — Par la porte. J'ai monté l'escalier quatre à quatre. Je n'ai plus de souffle. Sophie! Qu'eſt-ce que tu as?

GEORGES. — D'abord, je trouve indécent, qu'à ton âge, tu t'obſtines à appeler ta mère Sophie.

YVONNE. — Georges!... c'eſt une vieille taquinerie qui sort de la bibliothèque rose. Ce n'eſt pas grave.

GEORGES. — Ta mère n'eſt pas bien du tout, Michel.

MICHEL, *tendrement.* — Sophie... C'eſt moi qui t'ai mise dans un état pareil...

Il s'approche pour embrasser sa mère; elle le repousse.

YVONNE. — Laisse...

MICHEL. — Vous en faites des figures. On dirait que j'ai commis un crime.

GEORGES. — Tu n'en es pas loin, mon petit. Ta mère a failli mourir d'inquiétude.

MICHEL. — Je rentrais, fou de joie de vous voir, de retrouver la roulotte, d'embrasser maman. Je suis consterné...

GEORGES. — Il y a de quoi. D'où viens-tu?

MICHEL. — Laisse-moi souffler un peu! Je n'en ai que trop à vous dire.

LÉO, *à Georges.* — Tu vois...

MICHEL. — Tante Léo n'a pas perdu la tête. Comme d'habitude.

LÉO. — On pouvait perdre la tête, Michel, je ne plaisante pas. Aujourd'hui je ne trouve pas l'état de ta mère excessif.

MICHEL. — Qu'est-ce que j'ai fait?

GEORGES. — Tu n'es pas rentré hier soir. Tu as découché. Tu ne nous as pas prévenus de l'heure à laquelle tu reviendrais.

MICHEL. — J'ai vingt-deux ans, papa... Et c'est la première fois que je découche. Avoue...

YVONNE. — D'où viens-tu? Ton père t'a demandé d'où tu venais.

MICHEL. — Écoutez, mes enfants... (*Il se rattrape.*) Oh! pardon... Écoute, papa, écoute, tante Léo, ne gâchez pas mon plaisir... Je voulais...

YVONNE. — Tu voulais, tu voulais. C'est ton père qui commande, ici. Du reste, il a à te parler. Tu vas le suivre dans son bureau.

LÉO, *les imitant*. — In-cro-yable.

MICHEL. — Non, Sophie. D'abord papa n'a pas de bureau. Il a une chambre très mal tenue. Ensuite je voudrais te parler à toi, à toi seule, d'abord.

GEORGES. — Mon cher enfant, je ne sais pas si tu te rends compte...

MICHEL. — Je me rends compte qu'il fait noir comme dans un four. J'allume... (*Il allume une lampe de table*)... et qu'en mon absence la roulotte fabriquait du film d'aventures au kilomètre.

YVONNE. — Puisque Michel trouve plus facile de me parler à moi d'abord, laissez-nous.

LÉO. — Naturellement...

YVONNE. — Si Mik a quelque chose sur le cœur, il est normal qu'il veuille le confier à sa mère. Georges, retourne à ton travail. Emmène-le, Léo.

MICHEL. — Papa, tante, il ne faut pas m'en vouloir. Je vous dirai tout. J'éclate!

YVONNE. — Ce n'est pas grave. N'est-ce pas, Mik?

MICHEL. — N... on, oui et non.

YVONNE. — Georges, tu l'intimides.

MICHEL. — Papa m'intimide. Et toi, tante Léo, tu es trop maligne...

YVONNE. — Moi je suis son camarade. Tu vois, Léo, je te l'avais dit.

LÉO. — Bonne chance. Viens, Georges. Quittons le confessionnal. (*Elle se détourne.*) Tu ne veux pas que j'éteigne? Tu avais grondé Georges parce qu'il allumait.

YVONNE. — C'était le lustre. La lampe ne me gêne pas.

Ils sortent par le fond, à gauche.

GEORGES, *avant de sortir.* — J'ai à te parler, mon petit. Je ne te tiens pas quitte.

MICHEL. — Entendu, papa.

Il ferme la porte.

SCÈNE IV

YVONNE, MICHEL

MICHEL. — Sophie! Ma petite Sophie adorée. Tu m'en veux?

Il s'élance, l'embrasse de force.

YVONNE. — Tu ne peux pas embrasser sans bousculer, sans vous tirer les cheveux. (*Michel continue.*) Ne m'embrasse pas dans l'oreille, j'ai horreur de ça! Michel!

MICHEL. — Je ne l'ai pas fait exprès.

YVONNE. — Ce serait le comble!

MICHEL, *se reculant, et sur un ton de farce.* — Mais... Sophie... Que vois-je? Vous avez du rouge aux lèvres!

YVONNE. — Moi!

MICHEL. — Oui, toi! Et de la poudre. En voilà des manières. Et pour qui tous ces frais? Pour qui? C'est in-cro-yable... du rouge, du vrai " rouge baiser ".

YVONNE. — J'étais livide. J'ai craint d'effrayer ton père.

MICHEL. — Ne l'essuie pas. Ça t'allait si bien!

YVONNE. — Pour ce que tu me regardes.

MICHEL. — Sophie! tu me fais une scène, ma parole! Moi qui te connais par cœur.

YVONNE. — Il est possible que tu me connaisses par cœur. Mais tu ne me regardes pas. Tu ne me vois pas.

MICHEL. — Erreur, chère Madame. Je vous regarde du coin de l'œil — et je trouvais même que vous vous négligiez beaucoup. Si vous me laissiez vous coiffer, vous maquiller...

YVONNE. — Ce serait du propre.

MICHEL. —Sophie, tu boudes! Tu m'en veux encore.

YVONNE. — Je suis incapable de bouder. Non, Mik, je ne t'en veux pas. J'aimerais apprendre ce qui se passe.

MICHEL. — Patience. Et vous apprendrez tout.

YVONNE. — Je t'écoute...

MICHEL. — Pas d'air solennel, maman. Pas d'air solennel!

YVONNE. — Mik!

MICHEL. — Jure-moi de ne pas prendre l'air famille, de prendre l'air roulotte. Jure-moi que tu ne pousseras pas de cris, que tu me laisseras m'expliquer jusqu'au bout. Jure-le.

YVONNE. — Je ne jure rien d'avance.

MICHEL. — Tu vois...

YVONNE. — Dehors on doit te flatter, t'encenser. Et quand moi, je te dis ce qui est...

MICHEL. — Sophie... Je vais chez papa... Il fera semblant de finir un calcul et il me sortira les phrases que tu me sors, à la queue leu leu.

YVONNE. — Ne te moque pas du travail de ton père!

MICHEL. — Tu n'arrêtes pas de plaisanter le fusil sous-marin à balles et maintenant...

YVONNE. — Moi, ce n'est pas pareil. C'est déjà énorme que je ne t'empêche pas de m'appeler Sophie, sauf en public...

MICHEL. — Nous ne sommes jamais en public.

YVONNE. — Enfin, bref, je te permets de m'appeler Sophie, mais je t'ai trop laissé la bride sur le cou et je n'ai pas surveillé ton désordre. Ta chambre est une écurie... laisse-moi parler... une écurie! on en est chassé par le linge sale.

MICHEL. — C'est tante qui s'occupe du linge... et puis tu m'as répété cent fois que tu aimais voir mes affaires qui traînent, que tu détestais les armoires, les commodes, la naphtaline...

YVONNE. — Je n'ai pas dit ça!...

MICHEL. — Pardon!

YVONNE. — J'ai dit, il y a un siècle, que j'aimais trouver un peu partout tes petites affaires d'enfant. Un jour je me suis aperçue que ces affaires qui traînaient étaient des chaussettes d'homme, des caleçons d'homme, des chemises d'homme. Ma chambre avait pris un air de chambre de crime. Je t'ai prié de ne plus semer tes affaires chez moi.

MICHEL. — Maman!...

YVONNE. — Ah! Il n'y a plus de Sophie. Tu te souviens. J'en ai eu assez de peine.

MICHEL. — Tu refusais de me border. Nous nous sommes battus...

YVONNE. — Mik! je t'ai porté dans ton lit jusqu'à onze ans. Après, tu es devenu trop lourd. Tu te pendais à mon cou. Après tu mettais tes pieds nus sur mes savates, tu me tenais par les épaules et nous marchions ensemble jusqu'à ton lit. Un soir tu t'es moqué de moi parce que je te bordais, et je t'ai prié d'aller te coucher seul.

MICHEL. — Sophie! Laisse-moi monter sur ton lit; j'ôte mes souliers... Ah! Me fourrer près de toi, mettre mon cou sur ton épaule. (*Il le fait.*) Je n'aimerais pas que tu me regardes. Nous regarderons ensemble droit devant nous la fenêtre de l'immeuble d'en face, la nuit. Chevaux de roulotte pendant une halte. Hein?

YVONNE. — Ces préparatifs ne présagent rien de bon.

MICHEL. — Tu m'as promis d'être très, très gentille.

YVONNE. — Je n'ai rien promis du tout.

Ils gardent la pose, tandis que leurs visages sont éclairés par une lumière qui doit venir de la fenêtre et qui est peut-être celle de l'appartement d'en face.

MICHEL. — Ce que tu es méchante.

YVONNE. — Ne m'enjôle pas. Si tu as quelque chose à me dire, dis-le. Plus on traîne, plus c'est difficile. Tu as des dettes?

MICHEL. — Sophie, taisez-vous. Ne soyez pas absurde.

YVONNE. — Michel!...

MICHEL. — Tai-sez-vous.

YVONNE. — Je me tais, Mik. Parle. Je t'écoute.

MICHEL, *assez vite et avec un peu de gêne. Pendant qu'il parle, sans voir sa mère, la figure d'Yvonne se décompose, jusqu'à devenir terrible.* — Sophie, je suis très heureux, et je voulais attendre d'être sûr de mon bonheur pour t'en faire part. Parce que si tu n'es pas heureuse en même temps que moi, je ne pourrai plus l'être. Tu comprends? Imagine-toi que j'ai rencontré au cours, une jeune fille...

YVONNE, *prenant sur elle.* — Le cours n'est pas mixte...

MICHEL, *il met la main sur la bouche d'Yvonne.* — Veux-tu m'écouter. Je n'allais pas chaque fois au cours de dessin. Je parle d'un cours de sténo-dactylo. Papa m'avait laissé entendre qu'il me trouverait une place de secrétaire, et il fallait savoir la sténo. J'ai essayé, mais comme tu me déconseillais cette place, j'ai lâché le cours. J'y ai été trois fois — par miracle! J'y ai rencontré une jeune fille, une jeune femme, plutôt... enfin, elle a trois ans de plus que moi... qui vivait grâce à la gentillesse d'un type de cinquante ans. Le type la considérait un peu comme sa fille. Il était veuf et il avait perdu une fille qui lui ressemblait. Toujours est-il qu'elle m'a ouvert son cœur, et c'était triste. Je l'ai revue. Je séchais les cours... Je préparais des dessins d'avance : cruches et pivoines... Je n'aurais jamais osé t'en ouvrir la bouche avant qu'elle ne se soit décidée, d'elle-même, à quitter ce pauvre type, à faire place nette, à repartir à zéro. Elle m'adore, maman, et je l'adore, et tu l'adoreras, et elle est libre, et notre roulotte a l'esprit large, et mon rêve est de vous conduire chez elle, toi, papa, Léo, dès demain. C'est ce soir qu'elle va dire la vérité au vieux. Il croyait qu'une sœur de province habitait chez elle, et il n'y venait plus. Il ne la rencontrait presque plus. Il avait loué une garçonnière. Bien sûr, il ne peut pas être question de jalousie — c'est moins grave qu'une femme mariée —, seulement, à cause de toi, à cause de la maison, à cause de nous, je ne pouvais pas admettre un partage et une situation louche.

YVONNE, *faisant un effort surhumain pour parler.* — Et cette personne... t'a aidé... je veux dire, tu n'as jamais un sou en poche. Elle a dû t'aider...

MICHEL. — On ne peut rien vous cacher, Sophie. Elle m'a aidé pour des repas, pour des cigarettes, pour des voitures... (*Silence.*) Je suis heureux... heureux! Sophie! tu es heureuse?

YVONNE, *elle se retourne d'un bloc. Michel est effrayé par sa figure.* — Heureuse?

MICHEL, *reculant.* — Oh!

YVONNE. — Alors, voilà ma récompense. Voilà pourquoi je t'ai porté, fait, dorloté, soigné, élevé, aimé jusqu'à l'absurde. Voilà pourquoi je me suis désintéressée de mon pauvre Georges. Pour qu'une vieille femme vienne te prendre, te voler à nous et te mêler à des mic-macs ignobles!

MICHEL. — Maman!

YVONNE. — ... Ignobles! et à te faire donner de l'argent. Je suppose que tu sais comment cela s'appelle?

MICHEL. — Maman, tu perds la tête. De quoi parles-tu? Madeleine est jeune...

YVONNE. — Voilà le nom!

MICHEL. — Je ne comptais pas te le cacher.

YVONNE. — Et tu croyais qu'il suffirait de me prendre par le cou, de me flatter — on ne me flatte pas, moi! — pour que j'accepte avec le sourire que mon fils soit entretenu par l'amant d'une vieille femme à cheveux jaunes.

MICHEL. — Madeleine a les cheveux blonds. Tu tombes juste. Mais pas jaunes, et je te répète qu'elle a vingt-cinq ans. (*Criant.*) M'écouteras-tu? Et elle n'a aucun autre amant que moi...

YVONNE, *le doigt tendu.* — Ah! tu avoues...

MICHEL. — Qu'est-ce que j'avoue? Il y a une heure que je te raconte les choses en détail.

YVONNE, *la figure dans les mains.* — Je deviens folle!

MICHEL. — Calme-toi, couche-toi...

YVONNE, *elle marche de long en large.* — Me coucher! Je suis couchée depuis hier au soir comme un cadavre. Je n'aurais pas dû boire ce sucre. Tout serait fini. Je ne serais pas morte de honte!

MICHEL. — Tu parles de te suicider parce que j'aime une jeune fille!

YVONNE. — Mourir de honte est pire que le suicide. N'essaie pas de jouer au plus fin. Si tu aimais une jeune fille... Si tu avais à m'exposer une intrigue nette, convenable, digne de toi et de nous, il est probable que je t'aurais écouté sans colère. Au lieu de cela, tu n'oses pas me regarder en face et tu me débites une histoire dégoûtante.

MICHEL. — Je te défends!

YVONNE. — Par exemple!

MICHEL, *dans un mouvement adorable.* — Sophie... Embrasse-moi.

YVONNE, *le repoussant.* — Tu as plein de rouge à lèvres sur la figure...

MICHEL. — C'est le tien!

YVONNE. — Je ne pourrais pas t'embrasser sans dégoût.

MICHEL. — Sophie... Ce n'est pas vrai...

YVONNE. — Je vais prendre, avec ton père, des dispositions pour t'enfermer, pour t'empêcher de voir cette femme, pour te défendre contre toi... (*Michel balance sa chaise.*) Michel! Tu ne seras content que quand tu auras cassé cette chaise.

MICHEL. — Tu es une mère, Sophie, une vraie mère. Je te croyais un camarade. Me l'as-tu assez répété...

YVONNE. — Je suis ta mère. Le meilleur camarade n'agirait pas autrement que moi. Et... il y a longtemps que ce manège dure?

MICHEL. — Trois mois.

YVONNE. — Trois mois de mensonges... de mensonges ignobles...

MICHEL. — Je ne t'ai jamais menti, maman. Je me taisais.

YVONNE. — Trois mois de mensonges, de ruses, de calculs, de caresses hypocrites...

MICHEL. — Je voulais te ménager...

YVONNE. — Merci! Je ne suis pas de celles qu'on ménage. Je n'en ai aucun besoin. C'est toi qui es à plaindre.

MICHEL. — Moi?

YVONNE. — Oui, toi, toi... Pauvre petit imbécile, tombé entre les griffes d'une femme plus vieille que toi, d'une femme qui ment certainement sur son âge...

MICHEL. — Tu n'auras qu'à voir Madeleine...

YVONNE. — Dieu m'en garde. Ta tante Léonie se donne bien trente ans! Tu ne connais pas les femmes.

MICHEL. — Je commence à les connaître...

YVONNE. — Je te fais grâce de tes grossièretés.

MICHEL. — Enfin, Sophie, pourquoi veux-tu que je cherche ailleurs ce que j'ai ici, mieux que tout le monde. Quelle excuse aurais-je à m'adresser à une femme de ton âge...

YVONNE, *se lève d'un bond.* — Il m'insulte!

MICHEL, *stupéfait.* — Moi?

YVONNE. — N'essaie pas de me tenir tête, mon bonhomme. J'ai peut-être l'air d'une vieille, mais je n'en ai que l'air. Je te materai.

MICHEL. — Mieux vaut le silence. On se laisse emporter, on gaffe, on se blesse...

YVONNE. — Trop commode! Non, non, non... Je parlerai. Chacun son tour. Et, moi vivante. jamais tu n'épouseras cette ordure.

MICHEL, *bondit.* — Tu vas retirer ce mot.

YVONNE, *au visage de Michel.* — Ordure! Ordure! Ordure!

Il lui empoigne les épaules. Elle glisse par terre, sur les genoux.

MICHEL. — Relève-toi, maman! maman!

YVONNE. — Il n'y a plus de maman. Il y a une vieille qui souffre et qui va crier, et qui ameutera l'immeuble. (*Coups sourds.*) Tiens, la voisine de Léonie nous entendait; elle cogne. Je l'aurai, mon scandale! Je l'aurai! (*Michel la rejette, l'écarte de ses vêtements auxquels elle s'accroche.*) Assassin! Assassin ! Tu m'as tordu le poignet. Regarde tes yeux.

MICHEL, *criant.* — Et les tiens.

YVONNE. — Ils me tueraient s'ils étaient des armes. Tu voudrais me tuer !

MICHEL. — Tu divagues...

YVONNE. — Assassin ! Je t'empêcherai de sortir ! Je te ferai arrêter ! J'appellerai la police ! Oh ! la fenêtre ! (*Elle veut se relever et courir côté public, Michel la maintient.*) J'ameuterai la rue ! (*Elle hurle.*) Arrêtez-le, arrêtez-le !

MICHEL, *il appelle.* — Ma tante ! ma tante ! Papa !

La porte de Léonie s'ouvre.

SCÈNE V

YVONNE, MICHEL, LÉO, GEORGES

LÉO, *elle enlace Yvonne.* — Yvonne! Yvonne! (*Yvonne la frappe presque.*) Veux-tu!...

MICHEL. — De l'eau...

Il s'élance vers le cabinet de toilette, entre et sort avec un verre d'eau inutile qu'il pose près du lit.

YVONNE, *riant d'un rire stupide.* — De l'eau sucrée! Il ne fallait pas la prendre! Il ne fallait pas! Léo... fiche-moi la paix, laisse-moi ouvrir la fenêtre, laisse-moi crier...

LÉO. — La voisine tape...

YVONNE. — Je m'en moque...

Georges apparaît porte au fond à gauche.

GEORGES. — Et moi je ne m'en moque pas. C'est la vingtième fois que j'ai des ennuis à cause de notre tapage. On finira par nous mettre à la porte.

YVONNE, *elle se lève et se laisse mener sur le lit.* — A la porte... Pas à la porte... Qu'est-ce que cela peut faire maintenant? Georges... ton fils est un misérable. Il m'a insultée. Il m'a frappée...

MICHEL. — Papa, c'est faux!

GEORGES, *à Michel.* — Viens chez moi.

MICHEL, *à Yvonne.* — Je parlerai à papa. Il y a des choses qu'on ne devrait dire qu'entre hommes.

Il sort derrière son père et claque la porte.

SCÈNE VI

YVONNE, LÉO

YVONNE, *étouffant*. — Léo! Léo! Léo! Écoute-le...

LÉO. — Pour changer! La maison des portes qui claquent.

YVONNE. — Léo... Tu écoutais à la porte... Tu l'entendais...

LÉO. — Je ne pouvais pas ne pas entendre. Je n'entendais pas tout.

YVONNE. — Léo, tu avais raison. Il aime. Il aime une dactylo, ou je ne sais quoi de ce genre. Il nous lâcherait pour elle. Il m'a jetée par terre. Il avait les yeux d'un monstre. Il ne m'aime plus.

LÉO. — Il n'y a aucun rapport.

YVONNE. — Si, Léo... Ce qu'on donne à l'un on l'enlève à l'autre. C'est forcé...

LÉO. — Un garçon de l'âge de Michel doit vivre et les mères doivent fermer les yeux sur certaines choses. Un garçon peut avoir une femme dans la peau. Je ne vois pas en quoi...

YVONNE. — Tu ne vois pas en quoi! Tu ne vois pas en quoi... Et nous, les mères, nous ne les avons pas eus dans la peau? Et ils ne nous ont pas jusque dans les veines? Je l'ai porté dans mon ventre et chassé de mon ventre, ma petite. Ce sont des choses dont tu ne te doutes même pas.

LÉO. — C'est possible. Mais il faut faire quelquefois un formidable effort sur soi-même.

YVONNE. — Tu as beau jeu. Y parviendrais-tu, si tu étais en cause?

LÉO. — J'ai connu cet effort.

YVONNE. — Tout dépend des circonstances.

LÉO. — Les circonstances étaient assez épouvantables. Vous vivez dans la lune, c'est entendu, mais votre égoïsme, ton égoïsme, dépassent les bornes.

YVONNE. — Mon égoïsme?

LÉO. — Qu'est-ce que tu crois donc que je fais dans cette maison depuis vingt-trois ans? Pauvre aveugle... pauvre sourde. Je souffre. J'ai aimé Georges et je l'aime, et je l'aimerai sans doute jusqu'à la mort. (*Elle lui impose silence du geste.*) Quand il a rompu nos fiançailles sans le moindre motif, par caprice, et qu'il a décidé que c'était toi qu'il devait épouser, et qu'il m'a consultée avec une inconscience incroyable, j'ai fait semblant de prendre ce coup de massue à la légère. Me buter, c'était devenir malheureuse. T'éloigner, c'était le perdre. Et sottement je me suis sacrifiée. Oui, si incroyable que cela paraisse, j'étais jeune, éprise, mystique, idiote. J'ai cru qu'étant plus de sa race tu serais une épouse, une mère meilleure quoi. Je mariais le désordre avec le désordre! Je me suis vouée, outre le legs de notre oncle que je pouvais vous servir de loin, à surveiller votre roulotte et à la rendre habitable. Que suis-je, depuis vingt-trois ans? Je te le demande? Une bonne!

YVONNE. — Léo, tu me hais!

LÉO. — Non. Je t'ai haïe... Pas au moment de la rupture. L'idée du sacrifice m'exáltait, me soutenait. Je t'ai haïe parce que tu aimais trop Michel et que tu délaissais Georges. J'ai quelquefois été injuste envers Michel, parce que je rendais sa présence responsable. C'est drôle... Je t'aurais peut-être détestée si vous aviez réussi à être un bon ménage... Non... j'ai pour toi un sentiment qui ne s'analyse pas et qui ressemble à une habitude du cœur. Tu n'es pas méchante, Yvonne. Tu n'es pas responsable. Tu n'es pas humaine et tu fais le mal sans t'en rendre compte. Et vous ne vous apercevez de rien. De rien. Vous traînez de chambre en chambre, de tache en tache, d'ombre en ombre, vous gémissez du moindre malaise, et vous vous moquez de moi s'il m'arrive de me plaindre de quoi que ce soit.

Tu te souviens de ce " vomitif " que Michel a

trouvé dans ma chambre et qui vous a tant fait rire, il y a six mois? Malgré ma santé bien connue, j'étais écœurée, malade. Je croyais digérer mal. C'était le foie. Je me faisais de la bile, comme on dit et comme on a raison de le dire. Et le foie se détraquait à cause des nerfs, et les nerfs à cause de Georges. Oui, je flairais un départ de collégien sur les pointes et je t'en voulais de ne rien deviner et de ne pas empêcher Georges de partir. Et je savais que Georges essayait d'attraper une fausse chance et n'y arrivait pas. Et quand Michel, sans s'en rendre compte — il est aussi aveugle, aussi égoïste que vous —, a imité son père et a pris le large... je n'ai pu m'empêcher de te parler, de te mettre en garde...

YVONNE. — Pas par esprit de roulotte, Léo. Tu étais contente. Michel vengeait Georges.

LÉO. — Voilà ton inhumanité, ta méchanceté, tes coups de couteau par-derrière.

YVONNE. — Je ne vois pas si loin.

LÉO, *dressée, écarlate.* — Tant mieux si Michel reçoit de l'argent de cette femme... Cela vous apprendra peut-être à ne pas laisser un homme dehors avec de quoi s'acheter un sucre d'orge! Tant mieux si Michel épouse une grue! Tant mieux si votre roulotte se renverse, se démantibule, et pourrit dans le fossé. Tant mieux! Je ne ferai pas un geste pour vous secourir. Pauvre Georges!

Vingt-trois ans! Et la vie est longue, ma petite, longue... longue... longue... (*Elle sent que Georges entre dans son dos et elle enchaîne sans transition, d'une voix très féminine...*) et la veste courte... Et si tu ôtes la veste, tu es en robe décolletée et tu peux aller n'importe où le soir. (*Yvonne, d'abord stupéfaite, voit Georges.*)

SCÈNE VII

YVONNE, LÉO, GEORGES

GEORGES. — Vous pouvez parler robes. Vous avez de la chance.

YVONNE. — Qu'est-ce que tu as? Tu es vert.

GEORGES. — Je viens d'entendre Michel...

YVONNE. — Eh bien?

GEORGES. — Eh bien... Il regrette de t'avoir serré le poignet... il regrette vos cris... il aimerait te voir...

YVONNE. — C'est tout ce qu'il regrette!

GEORGES. — Yvonne... Il aimerait te voir... il a de la peine. Ne l'oblige pas à te demander pardon ou autre sottise. C'est assez grave... Je resterai près de Léo... Je voudrais que tu sois un peu seule avec Michel et dans sa chambre. Je t'en prie, Yvonne. Tu aiderais Michel et tu m'aiderais. Je suis mort de fatigue.

YVONNE. — J'espère que Michel n'a pas su t'entortiller, te convaincre.

GEORGES. — Écoute, Yvonne, je te le répète. Il ne s'agit pas de convaincre ou de ne pas convaincre. Cet enfant aime — ce n'est que trop certain. Ne lui parle de quoi que ce soit... ne l'interroge sur quoi que ce soit. Il est à plat ventre sur une pile de linge sale. Assieds-toi près de lui et donne-lui la main.

LÉO. — C'est la sagesse.

YVONNE, *à la porte.* — J'irai, à une condition...

GEORGES, *d'une voix douce.* — Vas-y... sans conditions...

Il l'embrasse et la pousse dehors, porte au fond à gauche.

SCÈNE VIII

LÉO, GEORGES

LÉO. — Georges, tu es défait... qu'y a-t-il?

GEORGES. — En vitesse... Léo... ils peuvent revenir d'un moment à l'autre.

LÉO. — Tu m'effraies...

GEORGES. — Il y a de quoi. Je viens de recevoir l'immeuble sur la tête.

LÉO. — De quoi s'agit-il? De Michel?

GEORGES. — De Michel. C'est-à-dire qu'il n'existe aucun vaudeville, aucune pièce de Labiche mieux agencés que ce drame.

LÉO. — Dépêche-toi. (*Silence.*) Georges! (*Elle le secoue.*) Georges!

GEORGES. — Ah! oui. Je ne savais plus où j'étais. Pardonne-moi. Léo, j'ai fait une folie et je la paie cher. Il y a six mois, je croyais avoir besoin d'une sténo-dactylo; on me donne une adresse. Je tombe chez une jeune personne de vingt-cinq ans, malheureuse, belle, simple, parfaite. Je me sentais très seul à la maison. Toi tu cours à droite et à gauche. Yvonne ne songe qu'à Michel. Michel... enfin bref...

Sous un faux nom, j'invente que je suis veuf... que j'avais une fille qui était morte... qu'elle lui ressemble...

LÉO. — Mon pauvre Georges... Comment t'en vouloir. Tu cherchais un peu d'air... Ici... on étouffe.

GEORGES. — J'invente, j'invente jusqu'à ne jamais lui ouvrir la bouche de mes marottes. Elle me dit qu'elle m'aime... que les jeunes sont des mufles, etc..., etc. Au bout de trois mois, elle change d'attitude. Une sœur de province habite chez elle. Une sœur mariée, dévote, sévère. Je t'emprunte une assez grosse somme...

LÉO. — Je m'en doutais...

GEORGES. — A qui me confier, sinon à toi? La somme qui devait servir à mon travail, sert à louer un rez-de-chaussée lugubre. La personne espace ses visites. Je me trouve empêtré dans des mensonges et dans un malaise noir. Tu devines le reste. La sœur était un jeune homme qu'elle aime. Et le jeune homme c'est Michel. Je viens de l'apprendre de sa propre bouche.

LÉO. — Se doute-t-il?...

GEORGES. — De rien. Il est en extase. Mon effondrement a été mis sur le même compte que celui de sa mère.

LÉO. — Et que te voulait-il?

GEORGES. — Madeleine — puisque Madeleine il y a — m'avait donné rendez-vous ce soir. Je viens d'être renseigné par Michel. C'était, comment dirais-je...

LÉO. — Pour te signifier ton congé...

GEORGES. — Et m'avouer tout, paraît-il. Avouer tout à Monsieur X... pour être libres, propres — dignes l'un de l'autre. J'en crèverai, Léo. Je suis fou d'elle.

LÉO. — Je ne sais pas si c'est un drame ou un vaudeville. De toute manière c'est un chef-d'œuvre.

GEORGES. — Un chef-d'œuvre de monstruosité. Comment un pareil hasard peut-il se produire dans une ville...

LÉO. — Je croyais qu'il n'y avait jamais de hasards. Vous autres qui aimez les miracles, les chefs-d'œuvre du sort, en voilà un de premier ordre. Ce n'est pas plus étrange qu'une série à la roulette, que de gagner à la loterie.

GEORGES. — J'ai gagné le gros lot.

LÉO. — Tu as gagné l'envers du gros lot, mon pauvre Georges. Que ressens-tu en face de Michel?

GEORGES. — Une gêne atroce. Je ne lui en veux pas. Ce n'est pas sa faute.

LÉO. — Que comptes-tu faire?

GEORGES. — Je te le demande. Je me suis décommandé ce soir.

LÉO. — Je comprends maintenant pourquoi la roulotte gardait un faux air d'ordre. Lorsque l'un sortait, l'autre était là. Mon pauvre Georges.

GEORGES. — J'ai encaissé honte sur honte. Michel disait : le vieux. Il m'a avoué que Madeleine l'aidait.

LÉO. — Avec ton argent.

GEORGES. — Le tien...

LÉO. — Ici le sort s'amuse. Il vaut mieux que nos sous rentrent dans la poche de ton fils. Et, soyons justes, cela t'apprendra qu'on ne lâche pas un garçon de cet âge sans un centime, dans les rues de Paris.

GEORGES. — Je regrette mon ridicule. Il t'empêche de voir que j'ai mal.

LÉO, *lui prenant la main.* — Mon Georges... Je t'aiderai.

GEORGES. — Comment?

LÉO. — Il est indispensable de frapper un coup dur, de te venger et de rendre ce mariage impossible. Michel veut que la roulotte aille, au grand complet, demain, chez la jeune femme. Il faut y aller.

GEORGES. — Tu es folle!

LÉO. — Je suis raisonnable.

GEORGES. — Yvonne n'acceptera jamais.

LÉO. — Elle acceptera.

GEORGES. — Et la scène — tu te représentes la scène. J'entre...

LÉO. — La petite avalerait sa langue plutôt que de révéler à Michel...

GEORGES. — En me voyant... elle risque de s'évanouir, de pousser un cri.

LÉO. — Je m'arrangerai. Frappe dur.

GEORGES. — Elle le mérite, Léo.

LÉO. — Romps le premier, et si elle refuse de rompre avec Michel, menace-la de dire tout.

GEORGES. — Es-tu le diable?

LÉO, *elle baisse les yeux.* — Je t'aime beaucoup, Georges, et je veux protéger ta maison.

GEORGES. — Et Yvonne? Jamais, au grand jamais, elle...

LÉO. — Tais-toi, Yvonne approche...

GEORGES. — Tu as de grandes oreilles, Léo.

LÉO. — C'est pour mieux empêcher qu'on te dévore, mon enfant!

La porte au fond à gauche s'ouvre. Yvonne paraît.

SCÈNE IX

LÉO, GEORGES, YVONNE

GEORGES. — Eh bien?

YVONNE. — Nous n'avons pas prononcé une parole. Je lui serrais la main. Comme il gémissait et retirait sa main et avait l'air de vouloir rester seul, je suis sortie de sa chambre. Je suis brisée. Je flotte. Je voudrais dormir et je ne pourrais pas dormir.

Qu'allons-nous devenir? Il est évident que Michel n'est pas dans son état normal. Il est sous une influence néfaste qui le détraque.

LÉO. — Il faudrait la connaître, cette influence.

YVONNE. — Je ne la connais que trop.

LÉO. — Je veux dire ne pas buter Michel. Être habile...

YVONNE. — Non, non. Il faut couper net.

LÉO. — Tu espères empêcher ces enfants de se rejoindre...

YVONNE. — Quels enfants?

LÉO. — Voyons, Yvonne! Michel et cette petite...

YVONNE. — Mais, Léo, il n'y a pas l'ombre d'une petite. Il y a une femme qui couche avec l'un et avec l'autre... une femme de Dieu sait quel âge, une sainte-nitouche que Mik voit à travers un prisme et dont il fait une sainte.

LÉO. — Raison de plus pour la lui montrer telle qu'elle est.

YVONNE. — Je compte sur Georges pour faire preuve de caractère une fois au moins, et pour trancher dans le vif.

GEORGES. — Trancher dans le vif est une phrase.

YVONNE. — Du reste, en admettant que cela ne soit pas des fables et que cette femme veuille vraiment quitter son... protecteur... pour risquer sa chance et qu'elle cherche à épouser Mik, il serait de ton devoir de décharger Mik d'une responsabilité qui est un enfantillage. Mik ne peut pas la priver de ce monsieur et la planter là.

LÉO. — Enfin, des choses qui ont un sens.

YVONNE. — Comment comptait-il la faire vivre?

GEORGES. — Il m'a dit qu'il en avait assez de ne rien faire; qu'il était décidé à travailler.

YVONNE. — Et à vivre à nos crochets, aux crochets de sa tante.

LÉO. — Mon peu d'argent est le vôtre...

YVONNE. — Ce n'est pas celui de cette femme. Je ne divague plus, j'y vois clair. Il est essentiel que Georges fasse une démarche. Léo? c'est son rôle...

GEORGES. — C'est facile à dire.

YVONNE. — Tu n'as qu'à être ferme et à lui *défendre*...

LÉO. — As-tu vu des ordres réussir auprès de gens qui s'aiment?

YVONNE, *elle hausse les épaules.* — Mik n'aime pas cette fille. Il croit l'aimer. C'est sa première amourette. Il s'imagine être en face de l'amour idéal, éternel.

LÉO. — S'il l'imagine c'est comme s'il aimait.

YVONNE. — Pardon! cela deviendra des dessins, des promenades, des songes. Il guérira d'une idée fixe. Je connais mon Mik.

LÉO. — Tu le connaissais.

YVONNE. — Enfin, vous êtes incroyables! Voilà vingt-deux ans que je l'observe. Une Madame X... ne peut pas me le changer de fond en comble en trois mois.

GEORGES. — Pas en trois mois, Yvonne. En trois minutes. C'est justement le propre de l'amour.

YVONNE. — Ah! Si j'étais un homme, si je lui parlais, moi... je trouverais ce qu'il faut dire.

LÉO. — C'est ce que Michel demande.

YVONNE. — Il n'espère tout de même pas que j'obéirai à ses ordres?

GEORGES. — Qui parle d'ordres? Pourquoi prendre une attitude tragique? Yvonne!

YVONNE. — Voyons, voyons, alors si je comprends bien... vous prétendez, toi et Georges...

GEORGES. — Je ne prétends rien...

YVONNE. — Enfin, quoi, si vous envisagez comme

possible que moi, j'accompagne Georges chez cette... femme et que Léo ferme le cortège.

GEORGES. — Une reconnaissance, une simple reconnaissance chez l'ennemi.

YVONNE. — La roulotte au complet, la famille en bloc, une visite de jour de l'An.

LÉO. — Tu n'y es pas du tout, Yvonne. Yvonne, peux-tu, toi, toi, envisager de vivre avec un Michel qui se taise, qui t'évite, ou qui te mente du matin au soir? Peux-tu envisager de vivre sans Michel? Peux-tu envisager que Michel quitte la maison?

YVONNE. — Tais-toi!

LÉO. — Idiote chérie... sais-tu ce qui arriverait? Tu te laisserais aller à n'importe quelle bassesse, tu courrais à ses trousses, tu lui embrasserais les genoux, tu supplierais cette femme.

YVONNE. — Tais-toi! Tais-toi!

LÉO. — Alors qu'il serait si simple d'employer la ruse, de regagner Michel, de mériter sa reconnaissance, de ne pas considérer cette démarche sous l'angle bourgeois, mais sous votre angle à vous, Princes de Lune... Ah! tu ne m'obliges plus à me taire.

YVONNE. — Ce serait tromper Mik. Ensuite, il ne nous en voudrait que davantage.

LÉO. — Le tromper pour son bien, Yvonne. Libre à toi de conclure ce mariage si tu te trouves en face d'une perle.

Georges. — Crois-moi, Yvonne, au premier abord on reçoit un choc. J'ai réagi comme toi. Mais peu à peu, il devient clair que Léo ne nous propose pas une folie.

Yvonne, *arpentant la chambre.*— Et puis, non! non! non! Je suis trop lâche, je me dégoûte, je ne mettrai pas les pieds chez cette femme.

Léo, *près d'Yvonne, elle l'immobilise.* — Autre chose, Yvonne. Notre pire souffrance n'est-elle pas de ne pouvoir imaginer l'endroit où ceux que nous aimons nous évitent? N'as-tu pas la curiosité de cet être chez lequel Mik te faisait du mal sans que tu puisses donner à ce mal aucune forme précise? N'as-tu pas la curiosité de toucher ton mal? Si un objet t'est volé, ne cherches-tu pas à te représenter où il se trouve?

Yvonne. — Chez cette voleuse...

Léo. — Tu iras chez cette voleuse, Yvonne. Tu iras reprendre ton bien. Tu accompagneras Georges. Et je ne vous laisserai pas seuls.

Yvonne, la main sur les yeux, tombe sur le bord du lit, assise, et n'accepte que par sa pose, par son silence.

Georges. — Je t'admire, Yvonne. Tu es toujours plus forte qu'on ne pourrait s'y attendre.

Yvonne. — Ou plus faible.

Léo. — Tu te crois faible parce que le “ j'irai ” ne te passe pas par la gorge.

YVONNE. — Si on m'avait dit, hier...

LÉO. — Ton courage, à toi, c'est de quitter ta chambre noire et d'aller au soleil.

YVONNE. — Tu appelles cela le soleil. Alors j'ai raison de préférer la nuit.

LÉO. — Soyez très, très prudents dans votre manière d'annoncer à Mik cette nouvelle; il peut flairer le piège.

GEORGES. — Léo, va le chercher... décide-le en lui annonçant une surprise.

LÉO. — Courage!...

Elle sort par le fond à gauche.

SCÈNE X

GEORGES, YVONNE

YVONNE. — Quel cauchemar!

GEORGES. — A qui le dis-tu?

YVONNE. — Si je vais chez cette personne... Je m'éloignerai avec Léonie pendant que tu lui parleras.

GEORGES. — Je te promets de lui parler tête à tête.

YVONNE. — Ne m'oblige pas à lui parler, Georges, je m'emporterais... Je n'ai aucune habitude de ce genre de femmes.

GEORGES. — Ni moi... A un certain âge les habitudes sont difficiles à prendre.

La porte au fond à gauche s'ouvre. Léo pousse Michel par le dos dans la chambre. Il a ses vêtements et ses cheveux en désordre. L'air sur la défensive.

SCENE XI

LÉO, GEORGES, MICHEL, YVONNE

LÉO. — Va...

GEORGES. — Entre, Michel.

MICHEL. — Que me veut-on?

GEORGES. — Ta mère va te le dire.

Michel entre et Léo referme la porte.

YVONNE, *la tête basse, elle parle avec effort.* — Mik, j'ai été dure et j'ai mal répondu à ta franchise. Je le regrette. Ton père est très bon. Il m'a parlé. Mik, mon chéri, nous ne te voulons pas le moindre mal, tu le sais. Au contraire. C'est ton bien que je cherche, et je déteste être injuste. Tu nous as demandé une chose presque impossible.

MICHEL. — Mais...

GEORGES. — Laisse parler ta mère.

YVONNE. — Cette chose presque impossible, cette démarche que tu exiges de nous, Mik, nous avons décidé de te l'accorder. Nous irons chez ton amie.

MICHEL, *il saute jusqu'à sa mère.* — Sophie! papa! Est-ce Dieu possible?

GEORGES. — Oui, Michel. Nous t'autorisons à prévenir demain de notre visite.

MICHEL. — Je rêve, pour sûr... papa, comment te remercier? Maman...

Il veut embrasser Yvonne.

YVONNE, *elle se détourne.* — Ce n'est pas nous qu'il faut remercier, c'est ta tante.

MICHEL. — Toi, tante Léo!

Il court vers Léo, la prend dans ses bras, la soulève et la fait tourner à toute vitesse.

LÉO, *criant.* — Tu m'étouffes! Quel ours! Mik! Je n'y suis pour rien. Ce n'est pas moi qu'il faut remercier. C'est la roulotte.

Rideau.

ACTE II

Une grande pièce claire.
Au premier plan à gauche escalier en colimaçon qui mène à l'étage supérieur.
Au fond à gauche porte d'entrée. Au premier plan à droite porte de la salle de bains.
Au milieu, premier plan, divan et petite table.
Sur le mur du fond, planches couvertes de livres.
Le mur idéal est censé donner sur des arbres par une baie.
Beaucoup d'ordre.

SCÈNE I

MADELEINE, MICHEL

MADELEINE. — C'est in-cro-yable!

MICHEL. — Figure-toi que tout le monde dit “ in-cro-yable ” à la maison. J'en arrive à imaginer qu'on le disait avant que je te connaisse et que je l'apporte. Maman serait folle si elle savait qu'elle t'imite.

MADELEINE. — Je ne vois pas ce que ma façon de prononcer ce mot a de spécial. Je le prononce comme tout le monde.

MICHEL. — Tu le prononces comme personne et à propos de bottes. C'est un tic que tu m'as passé et que je leur ai passé à tous. Maman, papa, tante Léo. Tous disent : c'est in-cro-yable!

MADELEINE. — Michel!

MICHEL. — Quoi?

MADELEINE. — La baignoire déborde.

MICHEL. — J'ai laissé le robinet ouvert. (*Il se précipite.*)

MADELEINE. — Et dépêche-toi. Ta mère ne croirait jamais que tu es venu prendre ton bain ici.

Elle croirait que tu te moques d'elle, que tu veux avoir l'air d'être chez toi.

MICHEL. — C'est la faute de tante Léo. La baignoire est bouchée et la baignoire c'est son rayon. Tante Léo, c'est l'ordre. Vous êtes faites pour vous entendre.

MADELEINE. — Chez moi, la baignoire marche.

MICHEL. — Chez nous, on prend des tubs. De temps en temps Léo nous laisse en panne. Mais elle aime trop ses aises. Elle ne tient pas le coup.

MADELEINE. — Essuie-toi. Dépêche-toi.

MICHEL. — Que je puisse agacer maman en me baignant ici... ne me serait jamais venu à l'idée... et c'est vrai! Tu es comme tante Léo, une grande politique.

MADELEINE. — Tu as bien su observer ta tante...

MICHEL. — A force de vivre les uns sur les autres. Moi, je ne pense à rien.

MADELEINE. — C'est ta propreté que j'aime.

MICHEL. — Ça, c'est drôle!

MADELEINE. — A l'extérieur, tu n'es pas sale. Tu as la saleté des enfants. Des genoux d'enfant, ce n'est pas sale. A l'intérieur il n'existe personne au monde de plus propre que toi.

MICHEL. — Inculte et bête.

MADELEINE. — Et moi?

MICHEL. — Toi, tu es une savante, tu as lu les classiques.

MADELEINE. — Je les relie.

MICHEL. — Tu es mille fois trop intelligente pour moi.. Sais-tu que tu arriveras à gagner de quoi vivre avec tes reliures. Je me ferai entretenir.

MADELEINE. — Tu travailleras, mon vieux. Au besoin tu m'aideras et un jour nous ouvrirons une boutique.

MICHEL. — Et nous deviendrons riches. Eh bien, sais-tu? Quand nous posséderons une maison...

MADELEINE. — Un appartement, Michel. Pourquoi dis-tu toujours une maison?

MICHEL. — Chez nous on dit : maison. La maison. A la maison.

MADELEINE. — C'est in-cro-yable.

MICHEL. — Mais c'est comme ça. Écoute! Quand nous posséderons une maison, si tu m'empêches d'avoir du désordre, je te traînerai chez nous, dans la roulotte, et je te séquestrerai, je te forcerai à partager ma chambre, mon linge sale, et mes cravates dans le pot-à-eau.

MADELEINE. — Au bout de cinq minutes ta chambre serait en ordre.

MICHEL. — Tu es diabolique. Chez nous, l'atelier de reliure descendrait dans cette chambre, ou cette chambre monterait dans l'atelier de reliure. Les objets me suivent comme des chats. Comment fais-tu?

MADELEINE. — C'est l'ordre. On a le sens de l'ordre ou on ne l'a pas.

Michel retrouve ses chaussettes sous Madeleine.

MICHEL. — Regarde où je trouve mes chaussettes. Pourtant, je suis sûr de les avoir retirées dans la salle de bains.

MADELEINE. — Tu les as retirées dans le salon.

MICHEL, *il met ses chaussettes.* — Le salon! Chez nous, tu ne pourrais même pas imaginer un salon. Les drames ont lieu dans la chambre de Sophie. Chambre du crime. Quand les disputes deviennent sérieuses, les voisins de tante Léo tapent contre le mur, on fait : pouce! et les armistices, les traités de paix, les silences orageux, se passent dans une espèce de salle à manger fantôme, de salle d'attente, de pièce vide où la femme de ménage revisse une table très laide, très lourde et très incommode.

MADELEINE. — Et ton père supporte...

MICHEL. — Oh! papa... papa, lui, il croit qu'il invente des merveilles. En réalité, il perfectionne le fusil sous-marin. Il cherche le fusil à balles. Je ne plaisante pas. Les classiques de papa, c'est Jules Verne. Il a dix ans de moins que moi.

MADELEINE. — Et ta mère?

MICHEL. — Quand j'étais petit, je voulais épouser maman... Papa me disait : tu es trop jeune. Et je répondais : “ J’attendrai d’avoir dix ans de plus qu’elle. ”

MADELEINE. — Mon amour...

MICHEL. — Excuse-moi de te rebattre les oreilles avec la famille. Tu comprends, je n’osais pas te parler d’eux avant d’avouer tout. Je te cachais là-bas, alors ici, j’étais gêné, emprunté, et comme je suis très bête, je préférais ne pas parler d’eux. Je me rattrape.

MADELEINE. — Tu es toujours guidé par de la délicatesse, et il était trop naturel de ne pas trahir ta roulotte chez nous, puisque tu ne trahissais pas notre secret dans ta roulotte.

MICHEL. — Sophie a été admirable, et papa, et tante Léo, tous. La scène a commencé par un drame.

MADELEINE. — Un drame?

MICHEL. — Maman voulait appeler la police, me faire arrêter.

MADELEINE, *stupéfaite*. — La police? Pourquoi?

MICHEL. — Ah! ça, c’est le style de maman, le style de la chambre de maman...

MADELEINE. — C’est...

MICHEL *et* MADELEINE, *ensemble*. — In-cro-yable!

MADELEINE, *riant*. — A qui la faute, Michel?

MICHEL. — A moi. A toi. Je n’ai pas pu résister à passer la nuit chez toi. Et le lendemain... le lendemain...

MADELEINE, *l’imitant et lui ôtant le pied de sur un*

meuble. — Le lendemain... le lendemain, tu avais la frousse.

MICHEL. — Voui.

MADELEINE. — Je t'ai dit vingt fois de téléphoner.

MICHEL. — Reine des gaffeuses, ne dites pas cela devant Sophie.

MADELEINE. — Je te conseille de parler, tu gaffes comme tu respires.

MICHEL. — Exact.

MADELEINE. — Et c'est encore ce que j'aime, mon stupide. Tu n'es pas menteur.

MICHEL. — C'est trop compliqué.

MADELEINE. — Je hais le mensonge. Le moindre mensonge me rend malade. J'admets qu'on se taise ou qu'on s'arrange pour faire le moins de peine possible. Mais, le mensonge... le mensonge de luxe!... Je ne me place pas au point de vue de la morale, je suis très amorale. J'ai l'intuition que le mensonge fausse des mécanismes qui nous dépassent, qu'il dérange des ondes, qu'il détraque tout.

MICHEL, *après avoir noué son soulier gauche.* — Mon soulier!

MADELEINE. — Cherche-le.

MICHEL. — Ça c'est incroyable. Il y a une minute...

MADELEINE. — Cherche!

MICHEL, *à quatre pattes.* — Tu sais où il est.

MADELEINE. — Je le vois pendant que je te parle. Il crève les yeux.

MICHEL, *il s'éloigne de la table au milieu de laquelle est son soulier.* — Je brûle?

MADELEINE. — Tu gèles.

MICHEL. — Et tu veux que je me dépêche...

MADELEINE. — Grand politique!

Elle lui montre le soulier qu'elle soulève par un lacet.

MICHEL. — C'est trop fort! Maman l'aurait repêché dans mon lit.

MADELEINE. — Elle doit être adorable, ta mère. Quel dommage que je crève de peur.

MICHEL, *il se chausse.* — Maman se croit laide et elle est plus belle que si elle était belle. Elle va se mettre sur son trente et un. Il est possible que tante Léo l'oblige à se maquiller et à sortir les fourrures de la penderie.

MADELEINE. — J'ai peur... j'ai peur...

MICHEL. — C'est eux qui ont peur. Et tante Léo nous dégèlera, elle est très forte.

MADELEINE. — Et vous vous déplacez toujours en bande?

MICHEL, *naïvement.* — Jamais Sophie ne sort. Papa sort, tante Léo sort pour faire des courses. Elle est très prise à la maison. Moi je sors parce que je vous aime...

MADELEINE, *elle lui prend les mains.* — Tu m'aimes?

MICHEL. — Regarde. (*Il se tourne.*) Je suis propre, prêt pour la " demande en mariage ". Oh!

MADELEINE, *inquiète*. — Quoi?

MICHEL. — Je devais me faire couper les cheveux.

MADELEINE. — Lundi. Les coiffeurs sont fermés.

MICHEL. — Comment t'arranges-tu pour savoir tout?

MADELEINE. — Comment je m'arrange pour savoir que les coiffeurs sont fermés le lundi?...

MICHEL. — Non... (*Il l'embrasse.*) Pour savoir qu'on est lundi. Moi, je ne sais que c'est dimanche que parce que la femme de ménage ne vient pas et que j'aide à la cuisine.

MADELEINE. — On sent le dimanche à autre chose. Les gens sont libres. Il y a du désordre dans l'air, un désordre triste.

MICHEL. — Oh! Votre ordre et votre désordre!

MADELEINE. — Ils s'attendent à trouver de l'ordre ou du désordre?

MICHEL. — Ils s'attendent au pire. Ils croient venir chez une vieille femme à cheveux jaunes.

MADELEINE. — Je suis une vieille femme à cheveux jaunes. J'ai trois ans de plus que toi.

MICHEL. — Figure-toi que j'ai un pressentiment! Cette vieille femme va les étonner.

MADELEINE. — Touche du bois...

MICHEL, *il la prend dans ses bras*. — Madeleine, tu ensorcellerais n'importe qui. Il n'y a qu'un seul point qui m'inquiète, qui me travaille.

MADELEINE. — Lequel?

MICHEL. — J'aurais voulu la chose faite, la place libre, la situation liquidée.

MADELEINE. — Le rendez-vous est remis à ce soir...

MICHEL. — Quelle malchance!

MADELEINE. — Demain tout sera en ordre...

MICHEL. — On dirait que tu es contente de voir ce rendez-vous reculé.

MADELEINE. — Oui, quand Georges m'a téléphoné, je n'ai pas insisté, j'ai été lâche.

MICHEL. — Papa aussi s'appelle Georges.

MADELEINE. — Tu devines ce que peut être pour moi le rendez-vous avec le premier Georges. Eh bien, il ne m'effraie presque pas à côté du rendez-vous avec le second.

MICHEL. — Tu ne l'aimes pas!

MADELEINE. — Si, Michel.

MICHEL. — Tu l'aimes?

MADELEINE. — Le cœur n'est pas si simple, Michel. Je n'aime que toi, mais j'aime Georges.

MICHEL. — Ça, par exemple!

MADELEINE. — Si je ne l'aimais pas, Michel, je ne serais pas digne de t'aimer. D'abord je ne t'aurais pas connu. Je serais morte. Il m'a rencontrée au bord du suicide.

MICHEL. — Que tu aies de la reconnaissance...

MADELEINE. — Non, Michel. C'est plus que de la reconnaissance.

MICHEL. — Je ne comprends plus.

MADELEINE. — Il faut comprendre, mon chéri. Beaucoup d'hommes m'ont proposé ce que Georges m'a offert. J'ai refusé. Si j'ai accepté son offre, c'est que je l'aimais...

MICHEL. — Tu ne me connaissais pas.

MADELEINE. — Cher petit égoïste. Je ne l'aimais pas assez pour ne pas attendre l'amour. Et avec toi j'ai rencontré l'amour. Je l'aimais assez pour le lui cacher, pour traîner, pour accepter qu'il m'aide. Je l'aime assez pour être malade d'avoir à lui tirer ce coup de revolver à bout portant.

MICHEL. — C'est in-cro-yable.

MADELEINE. — Écoute, Michel, sois juste. Tâche de te mettre à sa place. Je suis tout pour lui. Il est veuf. Il a perdu sa fille. Je lui ressemble. C'est son arrêt de mort que tu me demandes. Il me croit incapable de mentir...

MICHEL. — Mais garde-le, garde-le. Pouce! Je préviendrai la famille. Rien de plus facile...

MADELEINE. — Ne sois pas absurde. Est-ce que je te refuse cette démarche? Je la fais parce que quand on aime comme je t'aime, on passe par-dessus tout, on assassine, on égorge. C'est décidé. On n'en parle plus.

MICHEL. — Si je t'en parle...

MADELEINE. — Je ne te parlais pas de lui. Il t'ignore. C'était mille fois mieux.

MICHEL. — Regarde... maman... si c'était nécessaire je n'hésiterais pas...

MADELEINE. — Tu hésiterais. Et tu aurais raison. Et c'est pourquoi je t'adore. Et puis, Michel, ce n'est pas pareil. Ta mère a ton père, ta tante.

MICHEL. — Elle n'a que moi.

MADELEINE. — Alors, elle me hait.

MICHEL. — On ne peut pas te haïr, mon amour; maman t'aimera quand elle comprendra que tu es moi-même, que nous ne formons qu'une seule personne.

MADELEINE. — Tu n'aurais pas dû lui parler de l'autre...

MICHEL. — Sophie m'a tellement répété qu'elle était un camarade, que je n'avais rien à lui cacher.

MADELEINE. — Tu lui avais caché notre amour.

MICHEL. — C'est parce que cet autre me gênait, me mettait mal à l'aise et que je savais qu'il traîne à la maison une foule de préjugés, de phrases conventionnelles, de scènes de famille. Je voulais te montrer libre, courageuse, sans rien de louche entre nous. J'ai débité notre histoire d'une traite.

MADELEINE. — Tu as bien fait. C'est moi qui suis stupide. Du moment qu'on parle, il faut tout dire.

MICHEL. — C'est ce qui te donnera du courage demain.

MADELEINE. — N'en parlons plus, je te le demande. Puisque Georges il y a, admets que j'avais pour

Georges la tendresse que j'aurais pour ton père, que j'aurai pour ton père.

MICHEL. — Mais...

MADELEINE. — Chut.

MICHEL. — Tu m'en veux?

MADELEINE. — Je t'en voudrais de ne pas être jaloux. Je t'en voudrais d'être jaloux. Je t'en voudrais de ne pas t'être mis en colère. Je t'en voudrais de ne pas t'en vouloir de t'être mis en colère.

MICHEL. — Ils sont d'une bonté inimaginable. Cette visite le prouve.

MADELEINE. — Cette visite m'effraie. Elle est trop simple, trop belle. Tu m'as dit que ta mère ne voulait pas en entendre parler. Une minute après, elle se décide. Ce changement m'effraie.

MICHEL. — Ils se fâchent, ils crient, ils claquent les portes... mais tante Léo les calme et ils l'écoutent. Sophie est comme ça. Tout est en coups de tête. Elle dit : Non, mon bonhomme, jamais. Elle s'enferme... Je boude... elle arrive, elle m'embrasse et elle dit : Oui, Mik. Je l'embrasse et on n'en parle plus.

MADELEINE. — Je n'arrive pas à me raisonner.

MICHEL. — Je te le répète : Tante Léo c'est l'ange gardien de la roulotte. Elle est très belle, très élégante, très droite. Elle critique notre désordre, mais, au fond, elle ne pourrait pas se passer de lui.

On sonne.

MADELEINE. — On sonne. Les voilà. Je me sauve. Je grimpe là-haut.

MICHEL. — Ne me laisse pas seul.

MADELEINE. — Tu viendras me chercher.

MICHEL. — Madeleine!

MADELEINE. — Si! si! si!

Elle monte le petit escalier pendant que Michel quitte la scène pour aller ouvrir.

SCÈNE II

MICHEL, LÉO

On entend que Michel ouvre, dit : « C'est toi, tante Léo ! Tu es seule ! » Et Léo pénètre sur scène, porte au fond, avec Michel.

MICHEL. — Il n'y a rien de changé? Ils viennent?

LÉO. — Ils viennent... rassure-toi. Je me suis arrangée pour être très en avance.

MICHEL. — Tu es bonne.

LÉO, *regardant autour d'elle.* — Quel ordre!

MICHEL, *riant.* — C'est moi, tu me reconnais. C'est *mon* ordre.

LÉO. — J'en doute. Où est ton amie?

MICHEL. — Dans son atelier de reliure, là-haut.

Il montre l'escalier.

LÉO, *regardant vers la salle.* — Vous donnez sur les jardins. Voilà ce qu'il faudrait à ta mère qui vit dans sa chambre, au lieu d'un immeuble et de l'éclairage sinistre des gens d'en face.

MICHEL. — Ne dis pas du mal de la roulotte.

LÉO. — Une roulotte se traîne n'importe où.

MICHEL. — Moi je donne sur une cour et j'aime ma cour.

LÉO. — Appelle ton amie.

MICHEL, *il appelle.* — Madeleine!... Inutile, de là-haut, on n'entend rien.

LÉO. — C'est une chance.

MICHEL. — Pourquoi?

LÉO. — Ton père est indulgent, lucide, calme. Il doit parler seul avec ton amie. Il est inutile que ta mère écoute et intervienne. Quand nous descendrons, tout sera fait.

MICHEL. — Ange! (*Il embrasse sa tante.*) Je te la ramène.

Il monte quatre à quatre. Seule, Léo s'approche de la salle de bains, ouvre la porte et la referme. Elle remonte au fond et regarde les titres des livres. Madeleine, poussée par Michel, apparaît au haut de l'escalier. Elle descend lentement, Michel la tenant par les épaules.

SCÈNE III

LÉO, MICHEL, MADELEINE

LÉO. — Bonjour, Mademoiselle.

MICHEL. — Je te dis qu'elle est seule. Tu ne vas pas avoir peur de tante Léo, c'est l'avant-garde!

MADELEINE. — Madame...

Léo lui tend la main, Madeleine la serre.

LÉO. — Vous êtes très jolie, Mademoiselle.

MADELEINE. — Oh! Madame... Michel avait raison.

MICHEL. — Je lui avais raconté que tu étais bossue, boiteuse, que tu louchais...

MADELEINE. — Il ne parle que de votre beauté, de votre élégance.

LÉO. — De mon " ordre "! Je ne suis pas la seule.

MADELEINE. — Le désordre me terrorise.

LÉO. — Je vous félicite si vous arrivez à quelque chose avec celui de Michel.

MADELEINE. — Il y a du progrès.

MICHEL. — Et je retrouve mes souliers sur la

table. J'étais sûr que son ordre t'étonnerait. Tu es étonnée?

LÉO, *souriant*. — Oui.

MICHEL. — Et Sophie, et papa, ils suivent?

LÉO. — Je leur ai donné rendez-vous ici. Ta mère n'était pas contente. Mais je déteste les arrivées en masse. J'ai prétexté une course. Je ne vous cache pas que je voulais arriver la première et préparer le terrain.

MICHEL. — Tu vois, Madeleine, tante Léo est une merveille.

LÉO. — Me voilà votre complice. (*Montrant l'escalier.*) Votre atelier de reliure arrange tout. Je craignais que vous n'ayez qu'une seule pièce.

MADELEINE. — C'est une ancienne mansarde, deux mansardes, je suppose, transformées et réunies à cette pièce par un escalier de bateau.

LÉO. — Et, de vos mansardes, on n'entend rien de ce qui se passe en bas?

MICHEL. — Tu n'as pas entendu que je t'appelais...

MADELEINE. — Non.

LÉO. — C'est d'une importance énorme. Ils n'arriveront pas avant un quart d'heure. Il faut essayer. Tu connais ta mère...

MICHEL. — Tante Léo prévoit tout.

MADELEINE. — C'est facile de se rendre compte.

LÉO, *à Madeleine*. — Nous monterons ensemble.

Michel se promènera et criera ce qu'il veut. Je t'autorise même à claquer les portes.

MICHEL. — Mon rêve!

LÉO. — Conduisez-moi! (*Madeleine monte, suivie de Léo. Avant de disparaître Léo se retourne et par-dessus la rampe.*) Et crie, crie à tue-tête, et marche fort. Comme ton amie et ton père ont des timbres de voix très doux, nous ne courrons plus aucun risque.

Elle disparaît.

SCÈNE IV

MICHEL, *seul*

MICHEL. *Il prend n'importe quel livre, l'ouvre et lit à tue-tête, en courant de droite et de gauche.* — « Caché près de ces lieux, je vous verrai, Madame.

« Renfermez votre amour dans le fond de votre âme,

« Vous n'aurez point pour moi de langages secrets;

« J'entendrai des regards que vous croirez muets. » (*Il s'arrête, criant.*) Vous m'entendez? (*Léo apparaît en haut des marches.*) Vous m'entendiez?

SCÈNE V

LÉO, MICHEL, *puis* MADELEINE

LÉO. — Non. Est-ce que tu parlais fort?

MICHEL. — Comme à la Comédie-Française.

LÉO. — Qu'est-ce que tu criais?

MICHEL. — BRITANNICUS.

LÉO. — Écoute, Michel! C'est le contraire d'une chose à crier. (*Elle descend.*) S'il te fallait un livre, tu n'avais qu'à prendre LORENZACCIO.

MICHEL. — Connais pas.

LÉO, *elle prend un livre et le parcourt.* — Monte. J'essayerai, moi. Je ne serai tranquille que si je suis certaine qu'Yvonne ne se mêlera pas des explications de Georges et de ton amie. Tu y es? (*Silence. La lecture de* Lorenzaccio *doit être d'une grande violence et très juste.*) "A l'assassin! On me tue! On me coupe la gorge!... Meurs! Meurs! Meurs! — Frappe donc du pied. (*Elle frappe du pied.*) A moi, mes archers! Au secours! On me tue! Lorenzo de l'Enfer!

— Meurs, infâme! Je te saignerai, pourceau, je te saignerai! au cœur! au cœur! il eſt éventré. — Crie donc, frappe donc, tue donc! Ouvre-lui les entrailles! (*Michel, sur la pointe des pieds, descend quelques marches et passe la tête par-dessus la rampe.*) Coupons-le par morceaux et mangeons! mangeons! »

Elle s'arrête.

MICHEL. — Bravo!

LÉO. — Michel! Tu n'étais pas dans l'atelier?

MICHEL. — Si. Je n'entendais rien, je voulais t'entendre crier.

LÉO. — Tu en as l'habitude.

MICHEL. — T'entendre crier ici, ce n'eſt pas pareil. Mais, tante Léo, tu ferais une actrice admirable! Tu aurais pu être actrice.

Lui et Madeleine descendent.

MADELEINE. — Vous étiez superbe. Et, moi, je ne vous voyais pas.

LÉO. — Ta mère aussi eſt assez bonne comédienne, quand elle veut. Entre nous, je crois que notre grand-mère était chanteuse et que, quand grand-père l'a épousée, il lui a demandé de quitter le théâtre. Mais, ce sont des choses dont on ne parle pas en famille, ou bien, si quelqu'un en parle, tout le monde fourre son nez dans son assiette. (*Sonnette.*) Cette fois, ce sont eux.

LÉO, *à Madeleine.* — Montez vite. Il ne faut, à

aucun prix, que je vous aie vue avant que ma sœur vous voie. Je ne vous connais pas. Je viens d'arriver. (*Pendant que Madeleine monte les marches.*) Et c'est toi, Michel, qui as refusé de me montrer ton amie. Va, va. Ta mère d'abord.

On sonne une deuxième fois.

SCÈNE VI

LÉO, MICHEL, GEORGES, YVONNE

On entend d'abord, dans le vestibule.

VOIX DE GEORGES. — Je croyais m'être trompé d'étage.

VOIX D'YVONNE. — Il n'y a pas de domestique?

VOIX DE MICHEL. — Pas plus qu'à la maison. (*Il entre, les précédant.*) Tante Léo, tu avais entendu la sonnette?

Ils entrent.

YVONNE. — Léo est là?

LÉO. — J'arrive. J'ai sonné trois fois. J'aurais pu vous rencontrer devant la porte.

YVONNE. — Il y a longtemps que tu es arrivée?

LÉO. — Je te répète que j'arrive. Michel?

MICHEL. — Tante Léo croyait être en retard et vous trouver ici.

YVONNE. — Vous êtes... seuls?

MICHEL. — Madeleine est en haut, dans un petit atelier de reliure.

LÉO. — Michel n'aurait jamais voulu me la montrer avant de te la montrer à toi... de vous la montrer à vous.

MICHEL. — Là-haut on n'entend pas sonner, on n'entend rien. Il y a une demi-heure qu'elle se cache.

YVONNE. — Elle se cache?

MICHEL. — Enfin... Elle a peur de la famille.

YVONNE. — Nous ne sommes pas des ogres.

MICHEL. — Tu es toute pâle, Sophie. Il est bien naturel que Madeleine ait le trac.

LÉO. — Je la comprends.

YVONNE. — Quel luxe!

MICHEL. — C'est propre.

LÉO. — La propreté, c'est le luxe. Je disais à Michel...

YVONNE. — Ce n'est pas précisément ton genre.

MICHEL. — Patience! Je viens très peu. Si j'habitais chez Madeleine ou si j'y venais davantage, je gagnerais la partie.

LÉO. — J'en doute...

GEORGES. — Michel, tu dois prévenir de notre arrivée?

MICHEL. — Oui... Oh! papa, que tu es guindé. Sophie, assieds-toi... asseyez-vous. Prenez l'air naturel. Tante Léo, installe-les... Fais la maîtresse de maison. La pauvre Madeleine en est incapable. Si vous ne l'aidez pas, elle restera comme une borne et vous la croirez poseuse.

GEORGES. — Je me demande, mon petit, si tu mesures la gravité de cette visite. On ne le dirait pas.

LÉO. — Il essaie de rompre la glace.

MICHEL. — J'en pleurerais.

YVONNE. — Allons, allons. Georges est ému, Léo, très ému. C'est à ces minutes-là qu'on devient père, mère, fils. On ne traite plus ces choses par-dessous la jambe.

LÉO. — En tout cas, il vaut mieux ne pas redevenir des père et mère conventionnels, sous prétexte que les événements cessent de l'être. Je trouve Michel très courageux et très gentil. Va chercher la petite.

YVONNE, *entre les dents*. — Si petite il y a.

MICHEL, *au pied de l'escalier*. — Ma vie est en jeu. Une dernière fois, je vous demande d'aider Madeleine, de ne pas la recevoir avec une douche froide.

YVONNE. — Nous ne sommes pas venus dans cette intention.

MICHEL. — Ma Sophie! Papa! Léo! Il ne faut pas m'en vouloir. J'ai les nerfs en pelote.

LÉO. — Qui songe à t'en vouloir! Nous sommes tous plus intimidés les uns que les autres et nous prenons des attitudes. Elles ne tarderont pas à fondre. Allez, hop!

MICHEL. — J'y vais.

Il monte.

SCÈNE VII

YVONNE, LÉO, GEORGES

YVONNE, *à Georges.* — Tu as l'air encore plus malade que moi.

GEORGES. — Asseyez-vous, mes enfants. Moi je reste debout, derrière Yvonne.

Groupe.

SCÈNE VIII

YVONNE, LÉO, GEORGES, MADELEINE MICHEL

MICHEL, *de dos, il descend.* — Souriez!

Il démasque Madeleine. Elle commence à descendre sans rien voir.

MADELEINE, *en bas de l'escalier.* — Madame...

Yvonne se lève et s'avance vers elle. Georges reste planté seul, à l'extrême droite, derrière Léo.

MICHEL. — C'est maman...

Petit silence.

YVONNE. — Vous êtes ravissante, Mademoiselle. On vous prendrait pour une petite fille. Quel âge avez-vous?

MADELEINE. — J'ai vingt-cinq ans. C'est vous, Madame, qui... (*Elle vient d'apercevoir Georges. Sa voix s'étrangle. Elle se précipite de son côté.*) Dieu! Excusez-moi. Qui vous a fait entrer? (*Elle se retourne vers les femmes, hagarde.*) Ce Monsieur...

MICHEL, *riant et s'approchant.* — C'est papa, ce Monsieur. Papa, je te présente Madeleine.

MADELEINE, *elle recule.* — Ton père!...

MICHEL. — Là! Encore une. Personne ne veut jamais croire que papa est d'âge à être papa. Si nous sortions ensemble on nous prendrait pour deux copains.

LÉO. — Présente-moi.

MICHEL. — Je ne sais plus ce que je fais. Madeleine... (*Il lui prend la main.*) Que tu as froid!... Tâte sa main, Léo!

Léo prend la main de Madeleine.

LÉO. — Elle a les mains glacées. (*A Madeleine.*) Sommes-nous donc si terribles?

MICHEL. — Serre la main de Léo.

MADELEINE, *sans timbre.* — Madame...

LÉO. — Une vieille demoiselle. Une vieille demoiselle qui cessera vite de vous intimider.

MICHEL. — La famille au grand complet. Tu vois que ce n'était pas la mer à boire. (*Madeleine tombe sur le divan.*) Tu te trouves mal?

MADELEINE. — Non... Michel, non.

YVONNE. — Restez assise, surtout. (*Madeleine essaie de se relever.*) Léo, empêche-la. Michel veut nous montrer comme on a bien arrangé les mansardes.

MICHEL. — Mais...

YVONNE. — Nous te suivons, Léo et moi.

GEORGES, *mouvement.* — Je pourrais...

YVONNE. — Reste.

MICHEL. — Il y a un thermos plein de thé bouillant et trois tasses. Et du sucre! Et du lait concentré! Nous savons recevoir.

Yvonne traverse et met le pied sur la première marche. Léo la suit. Michel embrasse Madeleine et s'apprête à les rejoindre.

MADELEINE, *se dressant.* — Tu me laisses seule?

MICHEL. — Pas seule! avec papa.

MADELEINE. — C'est impossible. Ne me laisse pas seule. Écoute, Michel...

YVONNE. — Michel!

MADELEINE. — Madame... Mesdames, je vais monter avec vous. Je dois servir le thé.

YVONNE. — Nous nous débrouillerons. Michel nous aidera. Je suis curieuse de voir s'il restera trois tasses tout à l'heure.

MICHEL. — Il y en avait six. Je n'en ai cassé que trois!

GEORGES, *d'où il est.* — Restez, Mademoiselle. J'ai promis à Michel de vous parler, et à ma femme, comme elle est beaucoup plus nerveuse que moi, de vous parler tête à tête. Bien que Michel me trouve l'air jeune, je suis un vieux monsieur par rapport à vous. N'ayez aucune crainte.

YVONNE, *du haut des marches où les deux autres s'engagent.* — Dépêchez-vous et faites-nous signe.

MADELEINE. — Madame, un instant. Votre sœur

pourrait peut-être rester avec nous. Une femme...

YVONNE. — Ma chère enfant. Laissez-nous prendre le thé. Je trouve ridicule que les femmes s'occupent de certaines choses. D'autre part, vous avez entendu ce que Michel vous a dit de son père? C'est un camarade de Michel qui vous parlera... un camarade très bon et très accommodant. Beaucoup plus que moi.

MICHEL. — Ils ne nous veulent aucun mal, Madeleine, au contraire. Veux-tu que je te descende une tasse de thé?

LÉO. — Elle prendra son thé après.

Elle pousse Yvonne et toutes deux disparaissent suivies de Michel.

MICHEL. — Fais la conquête de papa. Ne vous sauvez pas ensemble.

Il envoie un baiser sur deux doigts et claque la porte invisible.

SCÈNE IX

GEORGES, MADELEINE

GEORGES. — Et voilà.

MADELEINE. — C'est une monstruosité.

GEORGES. — Exact. C'est une monstruosité. C'est in-cro-yable, mais c'est comme ça. C'est même un chef-d'œuvre. Hé, oui. (*Il s'approche de la bibliothèque et frappe le dos des livres.*) Tous ces Messieurs, qui ont écrit des chefs-d'œuvre, les ont écrits autour d'une petite monstruosité du même modèle. C'est pourquoi ces livres nous intéressent. Il existe, cependant, une différence. Je ne suis pas un héros de tragédie. Je suis un héros de comédie. Ces choses-là plaisent beaucoup, amusent beaucoup. C'est l'habitude. Un aveugle fait pleurer mais un sourd fait rire. Mon rôle fait rire. Pense donc! Un homme trompé, c'est déjà risible. Un homme de mon âge trompé par un jeune homme, c'est encore bien plus risible. Mais si cet homme est trompé par son fils, le rire éclate! C'est un chef-d'œuvre de fou rire. Une farce, une bonne farce. La meilleure de toutes les farces. S'il ne se produisait pas de situations analogues, il n'y aurait pas de pièces. Nous sommes des personnages classiques. Tu n'es pas fière? A ta place, je le serais.

MADELEINE. — Georges!

GEORGES. — Ils ne peuvent pas nous entendre, de l'atelier?

MADELEINE. — Tu... Vous savez bien que non.

GEORGES. — Tu me dis vous.

MADELEINE. — Il me serait impossible de vous tutoyer. Pardonnez-moi.

GEORGES. — A ton aise. Et moi qui demande s'ils peuvent nous entendre de là-haut : tu m'as enfermé là-haut les deux premières fois que ta sœur venait te rendre visite. C'était Michel?

MADELEINE. — Oui.

GEORGES. — C'est admirable. Et après tu as trouvé plus pratique de me faire louer un pied-à-terre. Pourquoi continuais-tu? Pourquoi mentais-tu? Il fallait vivre. Tu aidais Michel?

MADELEINE. — Oh! Georges. Michel est un enfant. Il était plus pauvre que moi. Je lui payais des cigarettes, des repas.

GEORGES. — Ici nous rentrons dans le convenable. C'est moi qui payais.

MADELEINE. — Je gagne assez, avec mes reliures, pour me débrouiller seule.

GEORGES. — J'aime mieux penser que cet argent lui venait de moi. Il me semblait que le mensonge te rendait folle. Pourquoi mentais-tu?

MADELEINE. — Vous ne me croiriez pas, c'est inutile.

GEORGES. — Toi, toi, une menteuse, toi!

MADELEINE. — Et vous, pourquoi m'avoir menti? Vous avez été prudent. Quelle confiance vous aviez en moi!

GEORGES. — J'étouffais chez moi. Je me sentais seul, dans le vide. J'en ai souffert. J'ai voulu en jouir. J'ai voulu que cette solitude devienne une chance. Qu'elle soit vraie. J'ai triché. J'ai inventé une fable. J'ai poussé le scrupule jusqu'à ne pas te parler de mes marottes. Quand j'étais chez toi, chez nous, j'étais seul au monde, libre, j'oubliais même Michel. Je ne confondais jamais mes deux vies. C'est te dire le coup que m'a porté Michel, hier, en m'apprenant la vérité.

MADELEINE. — Si tu m'avais dit ton vrai nom...

GEORGES. — Tu n'en aurais pas moins rencontré Michel.

MADELEINE. — Je l'aurais évité.

GEORGES. — Allons donc! Tout au plus devancé notre rupture. Au lieu de recevoir mon congé hier ou aujourd'hui, je le recevais il y a trois mois. Pourquoi n'as-tu pas eu cette franchise?

MADELEINE. — Vous ne me croiriez pas, je vous le répète...

GEORGES. — C'est facile. La combinaison t'arrangeait. Un vieux, un jeune...

MADELEINE. — Ah! Georges. N'ajoutez pas de saletés au gâchis où nous sommes. Je vous mentais parce que je vous aimais, parce que je vous aime...

GEORGES. — In-cro-yable.

MADELEINE. — Oui, Georges, j'ai pour vous une tendresse immense.

GEORGES. — Naturellement!

MADELEINE. — Laissez-moi parler : que vous le vouliez ou non, je vous ai donné ce que je croyais ma mesure. Vous me parliez d'une fille morte. Vous étiez bon. Vous ne ressemblez pas aux autres hommes. J'étais une loque, une noyée ou presque. Je me suis accrochée à vous. Je me suis attachée à vous de tout mon cœur.

GEORGES. — Je ne vois qu'une chose! M'aimais-tu? Je t'aimais, moi, je t'adorais, moi, et je te demandais mille fois : m'aimes-tu? et j'ajoutais : c'est impossible, et tu me répondais : « Mais non, Georges... Je t'aime. » Est-ce exact?

MADELEINE. — Georges, il y a des réserves qu'on n'exprime pas, qui se devinent. Il m'arrivait de répondre à vos questions : « Je t'aime beaucoup. » Vous vous mettiez en colère, vous me suppliiez, vous me harceliez; de guerre lasse, je vous disais : « Mais oui, Georges, je t'aime. Je t'aime tout court. »

GEORGES. — Il ne fallait pas me le dire.

MADELEINE. — Ces derniers mois, quel cauchemar! J'ai tenté l'impossible pour vous ouvrir les yeux. Vous ne vouliez rien voir, rien entendre.

GEORGES. — Je me rongeais.

MADELEINE. — Vous vous obstiniez dans votre attitude. Contre toute sagesse, contre toute gentillesse, vous...

GEORGES. — Il était trop tard, petite malheureuse! Si tu m'avais dit à temps : " Je ne t'aime pas. J'essayerai. Tu dois attendre. " Mais tu m'as engagé à fond. Tu m'as laissé m'enfoncer, me prendre; tu m'as traîné, lanterné, jusqu'à ce que l'amour te tombe du ciel. Et comme je te dérangeais...

MADELEINE. — C'est faux. Je ne pouvais me résoudre à vous causer la moindre peine. Avant que je sache, cette rupture me torturait. Je l'ai dit à Michel. Je ne pouvais pas lui donner une plus grande preuve d'amour.

GEORGES, *en face de son visage.* — Aimes-tu Michel?

MADELEINE. — Au compte de qui m'interrogez-vous? A son compte ou au vôtre?

GEORGES. — C'est son père qui te parle.

MADELEINE. — Je l'aime. Il est à moi. Michel c'est moi. Je ne peux plus m'imaginer sans Michel. La malchance rend très humble. Si je vous ai donné le change, c'est que j'étais sincère. Je me croyais indigne de posséder plus. Je n'espérais pas d'amour. Pas davantage d'amour que le nôtre. Il fallait que Michel arrive pour que je comprenne que l'amour ce n'est pas pareil et que j'avais le droit d'être heureuse. Une chance aussi *incroyable*, Georges, je ne la rêvais pas.

GEORGES. — Et Michel t'aime?

MADELEINE. — Il en donne la preuve. S'il savait, s'il apprenait la vérité, il vous haïrait, il me tuerait et il en mourrait.

GEORGES. — Il n'est pas question qu'il l'apprenne.

MADELEINE. — Vous êtes bon, Georges. Je savais bien, qu'après le premier choc, je n'aurais plus à plaider ma cause et que le bonheur de Michel passerait avant tout.

GEORGES. — Le bonheur de Michel...

MADELEINE. — Ma vie entière ne sera pas assez longue pour vous témoigner ma gratitude.

GEORGES. — Alors, tu t'imagines, purement et simplement, que je te donnerai Michel?

MADELEINE. — Quoi?

GEORGES. — Tu t'imagines que je vais te laisser Michel?

MADELEINE. — Vous plaisantez... M'enlever Michel?

GEORGES. — Tout de suite.

MADELEINE. — Hein?

GEORGES. — Qu'espérais-tu donc? Que j'allais m'incliner, me retirer, pousser Michel dans tes bras et supporter le reste de ma vie le spectacle de ton triomphe?

MADELEINE. — Vous êtes fou. Il s'agit de votre fils. Du bonheur de votre fils. Du bonheur de Michel.

GEORGES. — Quel bonheur établir sur une femme qui trompe? Je te le demande. S'il y en a deux, pourquoi n'y en aurait-il pas un troisième? Puisque tu trompais l'un, qui me prouve que tu ne tromperais pas l'autre? si ce n'est déjà chose faite.

MADELEINE. — Georges! Georges! Vous ne pensez pas ce que vous dites. Vous ne le pensez pas.

GEORGES. — A vrai dire, non. Je ne le pense pas.

MADELEINE. — J'en étais sûre.

Elle lui embrasse la main.

GEORGES. — Eh bien, Madeleine, eh bien, puisque ce troisième n'existe pas... que j'en ai la certitude... il faut l'inventer.

MADELEINE. — L'inventer?

GEORGES. — Il faut inventer un jeune homme de ton âge. Un peu plus âgé que Michel, que tu lui cachais parce que tu en avais honte, qui te tient par la peau et qui espérait te marier, te mettre à l'aise.

MADELEINE. — Vous vous moquez de moi, Georges? Vous m'éprouvez?

GEORGES. — Je n'ai jamais été aussi sérieux.

MADELEINE. — Vous me proposez un crime, une horreur, une folie!

GEORGES. — Il le faut, Madeleine, ou je dirai tout.

MADELEINE. — A votre fils! A votre femme! Georges!

GEORGES. — Ne t'inquiète pas de ma femme. Elle, je suis décidé à le lui dire, quoi qu'il advienne. Je le lui dois. Je l'ai négligée, délaissée... et je craindrais que les premières larmes de Michel ne l'attendrissent.

MADELEINE. — Elle parlera.

GEORGES. — Elle parlera si tu la mets en demeure de parler à Michel, si tu t'accroches.

MADELEINE. — Voilà donc où vous avez entraîné Michel! J'avais raison de craindre. Il était naïf, confiant, crédule. Et, en admettant que je mente, que je me salisse, que je raconte cette histoire à dormir debout, Michel ne me croira pas. Il me connaît!

GEORGES. — Ne lui as-tu pas inculqué ta haine du mensonge? Tu ne peux lui mentir. *Il te connaît.*

MADELEINE. — Et vous accompliriez ce crime? Vous vous laveriez les mains. Vous me l'arracheriez. Vous me laisseriez sans personne. Car n'espérez pas que je vous revoie.

GEORGES. — Me revoir? Non. Je suis guéri et je guérirai Michel.

MADELEINE. — De l'amour?

GEORGES. — L'amour... l'amour... c'est vite dit. Je le guérirai d'un projet de mariage que les circonstances rendent inadmissible.

VOIX DE MICHEL, *en haut de l'escalier.* — Vous avez fini? On peut descendre?

GEORGES, *criant.* — Pas encore. Nous causons comme de vieilles connaissances.

MICHEL, *de même.* — Bravo!... Madeleine, j'ai cassé une tasse. Délivrez-nous vite.

Il claque la porte invisible.

MADELEINE. — Georges, quand ceux qu'on aime sont absents, on ne se rend plus compte qu'ils existent. On les aime comme les morts d'une petite mort. Ils ne vivent que dans notre cœur. Je parlais, avec vous, en rêve, dans un monde où rien ne pouvait m'ôter Michel. C'étaient des mots. Je viens d'entendre sa voix. Il existe. Il existe dans un monde terrible où on peut me l'ôter, me le voler. Je m'accroche, comme vous dites. Je le garde.

GEORGES. — J'ai réfléchi, Madeleine. Tu es libre. Je parlerai donc. Michel saura qui était l'autre. Je le perdrai, mais nous le perdrons ensemble.

MADELEINE. — C'est un chantage indigne!

GEORGES. — Il le faut.

MADELEINE. — Georges!... Georges!... Georges!... Écoute-moi, crois-moi...

GEORGES. — Me crois-tu assez naïf...

MADELEINE. — Oui, naïf, bon, noble. Tout ce que j'aimais et que j'aime en vous. Tout ce que j'adore en Michel. Je le lui ai dit que je vous aimais. Il s'est fâché presque. Ne soyez pas un monstre. Ne devenez pas un monstre.

GEORGES. — C'est toi qui souffres?

MADELEINE. — Est-ce que je n'ai pas été assez punie par votre coup de théâtre, votre arrivée effrayante? Je pouvais rester morte sur place. Je pouvais crier et tout découvrir.

GEORGES. — J'étais tranquille. Je savais que tu n'adorerais pas Michel si tu te laissais aller, que si tu te contenais tu adorerais Michel.

MADELEINE. — Ah! tu vois bien. Tu l'avoues. Tu sais que je l'adore.

GEORGES. — Ce mariage est absurde. Michel doit rester dans son milieu, je lui souhaite une autre vie.

MADELEINE. — Laquelle? J'aimerais le savoir... Je suis fille et petite-fille d'ouvriers. J'ai de la poigne. Je changerai Michel. Il travaillera. Déjà, il change. Votre milieu ne lui donne que des exemples de désordre, d'oisiveté, de flânerie. L'amertume s'évanouira, et vous aurez fait son bonheur. Si vous faites son malheur, vous en aurez honte toute votre vie.

GEORGES. — Son malheur ne sera pas si long.

MADELEINE. — C'est ce qui vous trompe. Michel est un enfant. Les enfants se souviennent d'une peine, comme d'un drame. Et vous aussi, Georges, vous êtes un enfant. On vous casse votre jouet; vous vous butez. Ce n'était qu'un jouet. Que suis-je,

Georges? Peu de chose. Beaucoup pour Michel. Michel a besoin de moi. Vous, vous avez ce que vous me cachiez, vous êtes chef de famille. Comment pouvez-vous comparer notre aventure construite sur du faux, un faux nom, une fausse adresse, une fausse solitude, et celle d'un être jeune qui se livre corps et âme?

GEORGES. — Sa mère refuserait.

MADELEINE. — Vous êtes donc des ennemis?

GEORGES. — On a coutume de dire cela des pères et mères qui ne laissent pas leurs enfants grimper aux arbres.

MADELEINE. — Sa tante...

GEORGES. — Elle m'a aimé... jeune fille. Elle me garde un sentiment secret. Peut-être m'aime-t-elle en cachette. Elle te haïra si, par ta faute, on me ridiculise, on me tue à petit feu.

MADELEINE. — Elle me verra aimer Michel et verra que Michel m'aime, et si nous avons des enfants...

GEORGES. — Des enfants! Mettre des enfants au monde pour ces abominations... Ah! par exemple!

MADELEINE. — Georges, ne vous enlisez pas, ne vous abandonnez pas à la dérive. Soyez bon, soyez juste, soyez *vous*.

GEORGES. — Je ne m'enlise pas. Je ne m'abandonne pas à la dérive, ma petite. Il faut nous rendre

Michel. Il faut inventer cette troisième personne. Il faut vous décider entre ce mensonge ou la vérité que je me charge de lui dire.

MADELEINE. — C'est ignoble, ignoble!

GEORGES. — Je ferai mon devoir.

MADELEINE. — Vous êtes un fou.

GEORGES. — Je suis un père.

MADELEINE. — Vous mentez! Vous agissez par égoïsme. Vous n'êtes pas un père. Vous êtes un homme délaissé qui se venge.

GEORGES. — Je te défends...

MADELEINE, *elle se jette sur lui.* — Oui, menteur! menteur! égoïste! (*Il la bouscule.*) J'aime mieux cela, mais ne me parlez plus de votre fils. Vous croyez vous venger de moi; vous vous vengez de lui. Vous ne vous moquez pas mal qu'il soit heureux ou malheureux. Vous êtes jaloux. Et il n'y a que votre intérêt qui compte.

GEORGES. — Il nous reste quelques minutes. J'exige. Tu t'accuses ou je parle.

MADELEINE. — Parlez.

GEORGES. — Soit. As-tu bien réfléchi à ce que provoquera notre aveu?

MADELEINE. — Non! Non! Ne parlez pas. J'étais folle. S'il ne sait pas et qu'il me quitte, je peux encore espérer. Il existe sans doute une chance, une justice... Mais s'il sait, il ne me reste plus rien.

GEORGES. — Tu vois...

MADELEINE. — Je n'aurai jamais la force.

GEORGES. — Je t'aiderai.

MADELEINE, *bas*. — C'est abominable.

GEORGES. — Et crois-tu que ce n'était pas abominable, hier, d'écouter Michel m'avouer qu'il t'aimait, que tu étais sa maîtresse, de m'entendre appeler " le vieux "?

MADELEINE, *en larmes*. — Il était si fier de vous, de votre jeunesse...

GEORGES. — C'était toi, ma jeunesse, ma dernière carte.

MADELEINE. — Soyez généreux, Georges. C'est son tour de vivre. Effacez-vous.

GEORGES, *glacial*. — Je te le répète, je n'en fais pas une question personnelle. C'est la vie de mon fils que je prétends sauver et diriger.

MADELEINE. — Vous mentez! Vous mentez! Vous êtes une famille dans la lune, des gens froids, secs, inhumains... Et Michel est humain. Vous lui détruirez toutes ses illusions.

GEORGES. — Toutes, si tu n'obéis pas.

MADELEINE. — Laissez-moi du temps...

GEORGES. — Y penses-tu? Ils attendent la fin de ce conciliabule interminable. Il faut que tu décides.

Silence.

GEORGES. — Une fois, deux fois... je parle?

Il se dirige vers les marches.

MADELEINE, *cri.* — Non!

Elle le ramène.

GEORGES. — Tu feras ce que j'ai décidé.

MADELEINE. — Oui.

GEORGES. — Tu le jures?

MADELEINE. — Oui.

GEORGES. — Jure-le sur Michel.

MADELEINE. — Oui.

GEORGES. — « Je le jure. »

MADELEINE. — Sur Michel... Vous êtes un monstre.

GEORGES. — Je suis un père qui évite à son fils un piège où il est tombé lui-même.

MADELEINE. — Je ne suis pas de celles qui se tuent, qui se ratent et qui recommencent. Mais je mourrai lentement, de désespoir, de dégoût de vivre.

GEORGES. — Merci de ne pas me faire le chantage du suicide. Tu vivras. Tu travailleras et... tu oublieras Michel.

MADELEINE. — Jamais.

GEORGES. — Hop. Je ne parle pas? je parle?

MADELEINE. — Tout pour qu'il ne sache rien.

GEORGES. — Je monte.

Il s'engage sur les marches.

MADELEINE. — Georges, je t'en supplie... Georges! Encore un petit instant!

GEORGES. — Traîner servirait à quoi?

Il monte l'escalier.

SCÈNE X

MADELEINE, GEORGES, YVONNE LÉO, MICHEL

Georges, ayant monté les marches, disparaît et dit : " Venez. " *Il redescend suivi de sa femme, de Léo t de Michel.*

MICHEL. — Est-ce un homme, une femme, une plante, un personnage historique?

GEORGES. — Michel, je vais être obligé de te faire du mal.

MICHEL. — Du mal? (*Il se tourne vers Madeleine et voit l'état où elle se trouve.*) Madeleine. Qu'est-ce que tu as?

GEORGES. — Mon enfant, j'ai eu, avec ton amie, une longue conversation, pleine de surprises.

MICHEL. — Madeleine n'a pas pu te dire autre chose que ce que je t'avais appris.

GEORGES. — Elle était faible. Elle a été courageuse. Je l'ai confessée. Tu n'es pas seul.

MICHEL. — Madeleine est la première à regretter ce retard. Demain, les choses seront en ordre. N'est-ce pas, Madeleine?

GEORGES. — Pardonne-moi de te parler pour elle. Je le lui ai promis. Cet homme, dont tu parles, elle est prête à te le sacrifier. Reste l'autre.

MICHEL. — Quel autre?

GEORGES. — Vous n'étiez que deux, à ta connaissance. Vous êtes trois.

MICHEL. — De quel troisième parlez-vous?

GEORGES. — Sois un homme, Michel. Tu es jeune, très jeune. Tu connais mal les femmes et les difficultés de la vie. Cette jeune femme est amoureuse...

MICHEL. — De moi.

GEORGES. — Elle est amoureuse de toi. Je ne le mets pas en doute. Mais elle est esclave, si tu veux, d'un garçon du même âge qu'elle; qui n'est pas de notre milieu, qui se cache, qui l'épouvante, qui tire les ficelles, qui trouvait votre amour suspect, qui ne l'admettait que si la petite t'épouse et se case.

MICHEL. — C'est un mensonge, une invention; je connais Madeleine. Madeleine, parle! Dis-leur que ce n'est pas vrai, disculpe-toi. (*Silence.*) Je connais la vie de Madeleine de A jusqu'à Z. Tu mens!

YVONNE. — Michel!

MICHEL. — Madeleine! Madeleine! Sauve-moi! Sauve-nous! Dis-leur qu'ils mentent! Chasse-les!

GEORGES. — Il est naturel que tu tombes de haut. Mon pauvre petit, as-tu pensé que tu voyais très peu cette jeune femme, que ses nuits étaient libres, que...

MICHEL. — Mais qui? qui? Comment? Où?

GEORGES. — Elle espérait un miracle. Elle a tout essayé. Cet individu la tient. C'est une vieille histoire. Elle lui obéissait comme une somnambule, elle le suivrait n'importe où!

MICHEL. — Si c'est vrai, qu'elle crève! (*Il s'élance vers elle.*) J'exige...

YVONNE. — Michel! Tu perds la tête. Tu frapperais une femme?

MICHEL. — Je la giflerais. Une gifle... voilà ce qu'elle mérite. (*Il tombe à genoux.*) Madeleine, ma petite fleur, pardonne-moi. Je sais bien qu'ils mentent, qu'ils veulent voir si je t'aime... Parle! Parle! Je t'en supplie. J'oubliais notre dernière nuit, notre journée... Toi! Toi! me tromper, m'épouser par calcul.

GEORGES. — Je ne t'ai pas dit que cette jeune femme voulait t'épouser par calcul. Je t'ai dit qu'elle espérait se délivrer, sortir d'une influence qui la domine. Je t'ai dit qu'elle t'aimait et qu'elle avait ce garçon dans la peau.

MICHEL. — Ah! Tout était clair, pur, joyeux. Et je marchais. Je marchais à fond. Je deviens fou. (*Devant Madeleine.*) Qui? Qui? Qui est-ce?

GEORGES. — Elle affirme que tu ne le connais pas. Que tu ne peux pas le connaître.

MICHEL, *il enlace sa mère.* — Une vieille femme aux cheveux jaunes... Et moi qui t'ai presque insultée, blessée... Maman!

YVONNE. — Les parents savent, mon amour. Ils ont l'air ridicule, insupportable, trouble-fête... mais ils savent. Viens. Ta pauvre vieille te reste. Là, là, là...

MICHEL, *il se détache.* — Encore une fois, Madeleine, réponds. C'est un mensonge, c'est un cauchemar, je vais me réveiller. Réveille-moi... Madeleine!

YVONNE. — Prends ton calme.

MICHEL. — Mon calme! J'attendais, là-haut. Je me morfondais. Je me disais : Papa découvre Madeleine. Il convaincra Sophie. Tante Léo est déjà convaincue. Je mourais d'impatience. J'étais sûr que la séance finirait dans les larmes et dans les embrassades. Et je trouve une dame qui se confesse, mon rêve qui s'écroule, une horreur sans nom...

MADELEINE, *sans voix.* — Michel...

MICHEL. — Et elle ose ouvrir la bouche! Elle ose m'adresser la parole!

YVONNE. — Michel! Sois généreux. Mademoiselle pouvait continuer, jouer la comédie, entortiller ton père, s'introduire chez nous, t'exposer à des chantages, à un scandale public. Elle a été assez propre pour nous prévenir à temps. (*A Madeleine.*) Je vous exprime notre reconnaissance. Si un jour...

MADELEINE. — Assez! Assez! Je n'en peux plus! Je n'en peux plus!

Elle se sauve, monte les marches où elle bute, et disparaît. La porte claque.

MICHEL, *il court derrière elle.* — Madeleine! Madeleine! Madeleine!

GEORGES. — Laisse-la.

MICHEL. — Emmenez-moi, sauvez-moi. Non, je reste! Je saurai!

GEORGES. — Pourquoi savoir?

MICHEL. — Tu as raison, papa. J'ai mon compte. Je ne veux rien savoir. Je veux décamper. M'enfermer dans ma chambre. Me réfugier chez nous.

YVONNE. — On ne te dérangera pas. On te bercera...

MICHEL. — Je n'avais qu'à ne pas quitter la roulotte.

YVONNE. — Il te fallait une expérience...

MICHEL. — Je m'en serais passé, merci. Comme tu es sage de ne pas sortir... Les gens sont immondes!

YVONNE. — Pas tous, Michel.

MICHEL. — Tous. (*Il regarde autour de lui.*) Quel ordre! Hein, Léo? On ne risque pas d'embrouiller les visites, de laisser traîner une canne, une chemise, un chapeau, des cendres. Le confort moderne, quoi!

Madeleine apparaît, en haut des marches, livide. Elle tient à peine debout.

MADELEINE, *d'une voix suppliante.* — Sortez...

MICHEL. — Le numéro trois s'impatiente! Restez. C'est mon tour de prendre mes aises. Et cette femme a osé me dire qu'elle aimait le numéro deux. Elle l'aimait et elle m'aime et elle aime l'autre. Quel grand cœur! Il y a de la place pour tout le monde.

YVONNE. — Mon petit...

Madeleine s'effondre sur une des marches. Léo s'élance.

MICHEL. — Reste, Léo. Laisse-la. C'est du mélodrame. Laissez-la s'évanouir.

YVONNE. — Ne sois pas dur. Elle pouvait se taire.

Georges se glisse dans le vestibule.

SCÈNE XI

YVONNE, LÉO, MICHEL

MICHEL. — Si papa ne l'avait pas mise au pied du mur, je marchais de pied ferme. Je m'enfonçais dans les égouts. Sophie, papa, c'est bon de sentir des cœurs qui vous aiment, qui ne peuvent pas faire des combines. En route! Je vide les lieux. Tante, maman... (*Il se dirige vers la porte.*) Où est papa?

LÉO. — Il ne supporte pas les scènes. Il a dû filer à l'anglaise.

YVONNE. — Tant mieux.

MICHEL. — Ses marottes ne lui réservent pas des surprises aussi charmantes.

YVONNE. — Tu trembles.

MICHEL. — Pas le moins du monde.

YVONNE. — Si, tu trembles. Prends-moi le bras, mon chéri, nous descendrons comme des invalides.

Ils sortent.

YVONNE. — Léo! (*Elle rentre en scène et s'adresse à Léo, de la porte.*) On ne peut pas laisser cette enfant toute seule, dans un état pareil...

LÉO. — Enlève-le. Ramène-le. Je reste une minute.

YVONNE. — Merci, Léo.

Elle sort. On entend la porte se refermer.

SCÈNE XII

MADELEINE, LÉO

MADELEINE. — Michel! Michel! Mon Michel!

LÉO. — Là... là... là... je ne vous abandonne pas. Calmez-vous. Couchez-vous!

MADELEINE. — Oh! Madame! Madame! Oh! Madame! Oh! Oh! Madame... Madame...

LÉO. — Là... là... Détendez-vous...

MADELEINE. — Madame! Madame! Vous ne pouvez pas savoir...

LÉO. — Si. J'ai deviné.

MADELEINE. — Quoi?

LÉO. — J'ai deviné que le numéro deux et le père de Michel n'étaient qu'une seule et même personne.

MADELEINE. — Comment avez-vous pu?...

LÉO. — Pour ne pas s'en apercevoir, ma chère petite, il fallait être aveugle, des aveugles dans le genre de ma sœur et de Michel. La scène était atroce. La chose sautait aux yeux. Je le répète, il faut être Yvonne et Michel pour n'avoir rien vu.

MADELEINE. — J'en serais morte.

LÉO. — Et ce numéro trois? C'est un mythe? Je veux dire, il n'existe pas?...

MADELEINE. — Non.

LÉO. — Il existe?

MADELEINE. — Non, Madame. Il n'existe pas. Et Michel n'a pas interrogé, pas douté. Il a accepté cette histoire grotesque, sans hésiter, sans se dire que c'était fou!

LÉO. — C'est une chance. S'il était capable de réfléchir, de découvrir la seconde chose, il risquait de comprendre la première. Georges vous a forcée, menacée de tout dire...

MADELEINE. — Oui, Madame...

LÉO. — Il l'aurait fait.

MADELEINE. — Je préférais n'importe quoi... Perdre Michel.

LÉO. — C'est drôle... J'ai cru que Georges s'effacerait devant son fils et vous supplierait de vous taire.

MADELEINE. — Il m'a torturée, menacée; il voulait guérir Michel, disait-il. Il avait préparé ce mensonge.

LÉO. — Il y a des limites...

Elle lui prend la main.

MADELEINE. — Merci, Madame. Je ne croyais pas, je n'espérais pas...

LÉO. — Vous me plaisez beaucoup. Vous m'avez conquise. Je ne savais pas. Je n'avais pas plus confiance en Georges qu'en Michel pour le choix d'une femme. Ah! je serais entrée dans une maison en désordre, dans une nouvelle roulotte, votre partie était peut-être gagnée du côté d'Yvonne; elle était perdue pour moi. Je ne venais pas comme votre alliée, encore moins comme votre complice. J'ai le désir de l'être. C'est sans doute l'alliance de l'ordre contre le désordre. Toujours est-il que je passe dans votre camp.

MADELEINE. — Hélas, Madame... A quoi bon? C'est fini. Michel ne croira personne et Georges recommencera ses mensonges. C'est fini.

LÉO. — Rien n'est fini sur des bases fausses. Il n'y a de grave, de définitif, que du vrai grabuge, du vrai mensonge, du vrai mal.

MADELEINE. — Peut-être est-il exact que je ne suis pas faite pour votre milieu.

LÉO. — Quel milieu? Vous plaisantez. Écoutez-moi. (*La secouant.*) Madeleine!

MADELEINE. — Je suis morte.

LÉO. — Vous voulez que je vous ressuscite?

MADELEINE. — C'est insoluble.

LÉO. — M'écouterez-vous? Madeleine... Demain, à cinq heures, vous viendrez à la roulotte.

MADELEINE. — A la roulotte?

LÉO. — Chez nous. Chez Georges.

MADELEINE. — Qui? Moi!

LÉO. — Vous.

MADELEINE. — Vous n'y pensez pas, Madame. On me chasserait.

LÉO. — Non.

MADELEINE. — Est-ce possible?

LÉO, *elle se met du rouge aux lèvres et parle avec la grimace des femmes qui se remaquillent.* — Madeleine, il y a des moments où je me venge de l'amour, où il me révolte. Il y en a d'autres où l'amour me remue de fond en comble et gagne sa cause. Sait-on ce qui se passe en nous? Madeleine, ma petite, je suis un mélange de cette famille de saltimbanques et... de-je-ne-sais-quoi. C'est la nuit du corps humain qui fonctionne. Ne cherchez pas à me comprendre. Je suis un peu pédante de nature.

MADELEINE. — Georges parlera.

LÉO. — Georges se taira. Je vous l'affirme.

MADELEINE. — Il m'a juré...

LÉO. — Il se vengeait. Demain il sera un père noble qui protège son fils.

MADELEINE. — Il a été un monstre.

LÉO. — Il n'a pas été un monstre, ma petite.

Georges est un enfant, un inconscient. Il peut faire un mal atroce sans se rendre compte...

MADELEINE. — Madame... Madame... Comment vous exprimer ma reconnaissance!

LÉO. — Ah! ça, non. Ça non. Pas de reconnaissance, voulez-vous? Sait-on qui on aide? Sait-on de quels gestes on est capable lorsque le bateau coule? Où commence-t-on à servir les autres et à se servir soi-même? C'est de l'hébreu. Pas de reconnaissance, ma petite. Dans les catastrophes, ceux qui sont incapables d'entraide peuvent sauver un groupe qui se noie.

MADELEINE. — Votre cœur est bon...

LÉO. — Pas bon... J'ai un cœur comme tout le monde et la haine du désordre. Le désordre fait ici par Georges me dégoûte. Il faut laver, repasser, ranger ce linge sale. Venez demain!

MADELEINE. — Mais...

LÉO. — Il n'y a pas de mais. A cinq heures. C'est un ordre. Jurez-le-moi sur Michel.

MADELEINE. — Sur Michel...

LÉO. — Je le...

MADELEINE. — Jure.

LÉO. — Sur Michel.

MADELEINE. — Sur Michel.

LÉO. — Parfait. Et dormez. Soyez ravissante. Ne

vous gonflez pas les yeux. (*Elle se lève, sort une carte de son sac et la pose sur la table.*) Ma carte.

MADELEINE. — Après ce cauchemar...

LÉO. — C'est de l'histoire ancienne. Je t'adopte. (*Elle se dirige vers la porte.*) Ne me reconduisez pas...

MADELEINE. — Madame...

LÉO. — Et surtout, ne me remerciez pas. Parce que vous savez... les remerciements...

Rideau.

ACTE III

La chambre d'Yvonne. Même décor qu'au premier acte. Il fait sombre. On lèvera la lumière peu à peu comme il arrive lorsque l'œil s'habitue dans le noir.

SCÈNE I

LÉO, GEORGES

LÉO, *à Georges, qui entre par le fond, à gauche.* — C'est pareil?

GEORGES. — C'est pareil. J'aime mieux ne pas rester chez moi. Je n'en mène pas large et je risquerais de vous donner le même spectacle.

LÉO. — Impossible de rester dans ma chambre. La porte de communication entre ma chambre et celle de Mik a beau être condamnée, je ne l'entends pas moins gémir et frapper du poing par terre. Et, en plus, dans ma chambre, moi qui ne suis pas comme vous, moi qui suis équilibrée, je me sens au bout du monde, loin de je ne sais quoi qui se passe et qui se passe chez Yvonne. Si je déraille, c'est le bouquet.

GEORGES. — On étouffe.

LÉO. — Yvonne est avec Michel?

GEORGES. — Impossible d'en sortir une phrase. Je ne le croyais pas capable d'une douleur aussi bestiale. Quand je pense au contrôle qu'il faut que j'observe, à cette espèce de rage au cœur qui n'arrête pas. Ho!

LÉO. — C'est la première fois qu'il aime et qu'il souffre.

GEORGES. — Ceux qui savent se dominer ont l'air moins à plaindre, naturellement.

LÉO. — Georges, personne au monde n'est capable de te comprendre et de te plaindre plus que moi. Mais je me refuse à comparer ta peine, si dure soit-elle, à celle de cet enfant qui ne possède aucune expérience du malheur et qui du jour au lendemain...

GEORGES. — Il a Yvonne...

LÉO. — Voyons, Georges!

GEORGES. — Oui, il a Yvonne. Il ne lui dit rien, mais il se serre contre elle. C'est instinctif. Et Yvonne triomphe. Elle l'a « retrouvé ». Elle a retrouvé son fils! Elle n'a que ce mot dans la bouche. Et moi, moi qui ai vidé mon cœur, qui ai fait cet effort de lui raconter tout, de me ridiculiser, c'est à peine si elle s'est rendu compte de ce que cette histoire avait d'incroyable. Elle n'a pour ainsi dire pas marqué de surprise. Elle ne pensait qu'à Michel, qu'au danger que Michel puisse apprendre quelque chose, qu'à la prudence qu'il faudrait avoir. En ce qui me concerne, elle prenait un air vague et répétait : « C'est ta punition, mon pauvre Georges... c'est ta punition. » Et je ne suis pas seul! Et voilà l'Yvonne que je retrouve, qui me retrouve, qui m'aide à tenir le coup!

LÉO. — Que cette histoire ne la bouleverse pas,

il fallait s'y attendre. Qu'un père et qu'un fils rencontrent, chacun de son côté, une jeune personne et jouent à cache-cache sans le savoir, ce doit être une chose assez fréquente dans la lune. Quant à la " punition ", Yvonne n'a peut-être pas tort.

GEORGES. — Ah! par exemple! Punition! Punition de quoi?

LÉO. — Georges, je suis restée seule avec cette petite, après votre départ. Nous avons parlé, autant que son état le lui permettait, bien entendu.

GEORGES. — Et alors?

LÉO. — Georges, ce que tu as fait est atroce.

GEORGES. — Répète...

LÉO. — Je répète : Georges, ce que tu as fait est atroce.

GEORGES. — Comment, ce que j'ai fait? Léo! c'est toi, toi qui m'as dicté ma conduite, qui as inventé tout, construit la machine pièce par pièce...

LÉO. — Je te conseille de ne jamais répéter ce que tu viens de dire. De ne jamais te le répéter, de ne jamais te répéter, serais-tu sans âme qui vive, quelque chose qui ressemble à ce que tu viens de dire.

GEORGES. — C'est in-cro-yable!

LÉO. — Ton " in-cro-yable ", je l'ai entendu prononcer par cette petite. Ce que j'entendais et ce que je voyais ici, je ne le voyais plus, je ne l'entendais plus, déformé par votre clair de lune. Il allonge les ombres, il enchante les objets et j'en ai été victime, je l'avoue. Je n'attachais aucune réalité à votre histoire, qui se présentait déjà, d'elle-même, d'une manière assez irréelle. Et je ne te surprendrai pas en t'avouant que j'avais aussi peu de confiance en ton goût qu'en celui de Michel pour le choix d'une femme. Votre « jeune fille » devait être une roublarde qui vous menait par le bout du nez. Je me suis trompée. Je m'en excuse.

GEORGES. — Madeleine t'a eue.

LÉO. — Non, mon brave Georges, non. Madeleine ne m'a pas eue. Elle n'avait pas à m'avoir. Elle est une enfant, une malheureuse enfant...

GEORGES. — C'est superbe! cette jeune personne me trompe avec Michel, elle trompe Michel avec...

LÉO. — Tu ne vas pas croire au fantôme que tu as inventé?

GEORGES. — Que nous avons, que tu as inventé...

LÉO. — Georges!

GEORGES. — C'est bon... c'est bon... Que j'ai inventé. Mais, du reste, ma brave Léo, peut-être ne l'avons-nous inventé ni l'un ni l'autre. Une femme qui peut...

LÉO. — Georges! Tu ne vas pas te mettre à croire cette infamie, maintenant qu'elle t'arrange.

GEORGES. — Superbe! Superbe! Voilà qu'on canonise Madeleine. Madeleine est une sainte.

LÉO. — Elle est jeune et elle aime Michel, et elle

t'aime bien, mon vieux Georges. Il faut en prendre ton parti. Et tout à coup il m'est apparu que nous étions allés chez cette petite fille neuve avec nos vieilles habitudes, notre égoïsme, nos manies, nos préjugés, nos amertumes, nos rancœurs, pour mettre à sac de la jeunesse, de la joie, de l'avenir, de l'ordre.

GEORGES. — C'est par l'ordre qu'elle t'a eue.

LÉO. — Georges! Finiras-tu par comprendre qu'il ne s'agit pas de m'avoir ou de ne pas m'avoir. Il s'agit de réparer le mal que j'ai fait...

GEORGES. — Ah!

LÉO. — L'énervement me pousse à dire n'importe quoi. J'ai voulu dire qu'il s'agit, coûte que coûte, de réparer le mal que vous avez fait, que nous avons fait, que la pauvre Yvonne a fait sans se rendre compte.

GEORGES. — Revenir sur la journée d'hier? N'y compte pas, ma bonne. Jamais.

LÉO. — Fais ce sacrifice. Il est indispensable de se sacrifier quelquefois. C'est l'hygiène de l'âme. Il le faut.

GEORGES. — Je constate que tu adoptes le style d'Yvonne.

LÉO. — Ne plaisante pas. Je dois te convaincre et tu dois convaincre Yvonne. Il faut que tu paies; il faut qu'elle paie...

GEORGES. — Et toi! toi! toi! C'est inouï! Tu te dresses comme un juge et tu veux faire payer tout le monde. Est-ce que tu te sacrifies dans cette sale histoire? Est-ce que tu te sacrifies le moins du monde?

LÉO. — C'est chose faite.

GEORGES. — C'est chose faite... Comment?

LÉO. — Je veux dire : sais-tu si je n'ai pas eu mon sacrifice et si je n'ai pas acheté le droit de vous conseiller le vôtre?

GEORGES. — De quel sacrifice parles-tu? Je serais curieux de le connaître.

LÉO. — Je t'aimais, Georges. Sais-tu si je ne t'aime pas encore? J'ai cru que je me sacrifiais à ton bonheur. Je me suis trompée. Cette fois, je ne me trompe pas. Il est impossible de sacrifier cette petite et Michel à une espèce de confort abject...

GEORGES, *il veut prendre la main de Léo.* — Léo...

LÉO. — Ah! pas d'attendrissement surtout, les attendrissements, les remerciements... je m'en passe. Non. Il *faut*, Georges... il faut convaincre Yvonne.

GEORGES. — Et moi?

LÉO. — Je ne te fais pas l'injure de croire que tu n'es pas convaincu.

GEORGES. — Tu prétends introduire Madeleine ici?

LÉO. — C'est indispensable.

GEORGES. — Mais, ma pauvre Léonie, en admettant que je consente à m'imposer le supplice de ces amoureux, Yvonne, elle, refusera net, criera, menacera. Elle a « retrouvé »... « retrouvé » son Mik. Essaie de le lui reprendre.

LÉO. — Elle a retrouvé une loque. Elle s'en apercevra vite.

GEORGES. — Elle l'aimerait mieux à elle, mort, que vivant dans d'autres mains.

LÉO. — Si c'est vrai, tu agiras. Je te connais, tu t'élèveras instinctivement contre une attitude inhumaine, immonde, immonde. Ce n'est pas parce qu'on traîne des tares qu'il ne faut pas essayer de réagir.

GEORGES. — Et que dirions-nous à Michel?

LÉO. — C'est très simple. Que Madeleine a été sublime, et nous serons bien près d'être exacts, qu'elle a inventé ce numéro trois pour le rendre libre, pour le restituer à sa famille, à son milieu. Sic! Il ne l'en adorera que davantage. Elle le mérite.

GEORGES. — Je ne te savais pas ces trésors de cœur...

LÉO. — Mon cœur ne servait à rien. C'est le moment qu'il serve. J'aime Michel. C'est ton fils.

GEORGES. — Et tu aimes Yvonne, Léo?... Léo, n'est-ce pas contre elle que tu te dépenses et que tu agis?

LÉO. — Ne fouille pas trop le cœur, Georges. Il est mauvais de fouiller trop le cœur. Il y a de tout dans le cœur. Ne fouille pas trop dans mon cœur, ni dans le tien.

Silence.

GEORGES. — Nous allons encore ressembler à des girouettes.

Léo. — Se contredire, Georges. Quel luxe! C'est mon luxe. C'est mon désordre à moi. Laisse-le-moi. La famille, une épave de famille, une épave de bourgeoisie, une épave de morale inflexible, une épave de ligne droite! tout peut bien crouler sous ce tank aveugle, sous le passage de cette force idiote : chances, rêves, espoirs, rien ne trouve grâce. Profitons d'être une épave, mon cher Georges, contournons, contournons, et suivons notre chemin sans empêcher les autres de suivre le leur.

Georges, *baissant la tête.* — Léo... Je crois que tu as raison.

Léo, *avec gentillesse et comme à un enfant sage.* — Georges, je t'aime.

SCÈNE II

YVONNE, LÉO, GEORGES. *Sur le dernier mot, la porte s'ouvre et Yvonne entre, vêtue du peignoir éponge du premier acte, les cheveux décoiffés.*

GEORGES. — Nous t'attendions ici; nous espérions que, seul avec toi, il aurait une détente. Léo l'entendait gémir à travers la porte.

YVONNE. — C'est infernal.

LÉO. — Il t'a parlé?

YVONNE. — Non. Il me serrait la main à me la broyer. J'ai retiré ma main. J'ai voulu lui caresser les cheveux et je lui ai demandé bêtement s'il avait soif. Il m'a dit : " Va-t'en. " Je me suis levée. J'espérais qu'il me rappellerait, qu'il m'empêcherait de sortir. Je restais debout devant la porte. Il m'a répété : " Va-t'en. " C'est infernal. Je n'en peux plus. *Je n'en peux plus.*

GEORGES. — J'irais bien...

YVONNE. — S'il me chasse, c'est qu'il ne supporterait personne. Je l'avais supplié de se mettre au lit. Il m'a répondu en donnant des coups de poing par terre. Il est à plat ventre dans le noir.

LÉO. — Il a fermé ses persiennes?

YVONNE. — Ses persiennes, ses rideaux. Il se roule. Il mord ses manches. C'est infernal. Il vaut mieux le laisser seul. Ce n'est pas de la dureté, pauvre Mik!... Il me broyait la main et me la collait contre sa joue... mais il souffre de la peine affreuse qu'il me cause. Son « va-t'en » était le « va-t'en » de quelqu'un qui ne veut plus qu'on le plaigne, qu'on le touche, qu'on le regarde.

LÉO. — Il est à vif.

YVONNE. — Si cette femme n'était pas une grue, je l'appellerais, je la lui donnerais. Voilà où j'en arrive.

LÉO. — C'est facile à dire, maintenant...

YVONNE. — Non, Léo... Ce n'est pas facile à dire. Pour que je le dise, il faut que je sois à bout.

LÉO. — Tu la lui donnerais...

YVONNE. — N'importe quoi, oui... je pense que oui... Je n'en peux plus.

LÉO. — Eh bien, Yvonne, c'est cette phrase que je voulais que tu prononces. Je ne voulais pas la dire la première, ni que Georges t'oblige à la dire. Parle, Georges.

YVONNE. — Encore des paroles...

GEORGES. — Non, Yvonne. Je ne sais pas si tu comptes comme de simples paroles l'aveu que je t'ai fait, mais cette fois c'est beaucoup plus grave.

YVONNE. — Je ne vois pas ce qui peut être plus grave que le point où nous en sommes.

GEORGES. — C'est plus grave, si ce point où nous en sommes est le résultat d'un crime, et si je me trouve être le criminel.

YVONNE. — Toi?

GEORGES. — Yvonne, Madeleine est innocente. Le mystérieux individu n'existe pas.

YVONNE. — Je comprends mal.

GEORGES, *donnant la parole à Léo.* — Léo...

LÉO. — Je suis restée seule avec la petite, hier...

YVONNE. — Et elle t'a roulée. Quelle innocente! Et Georges, de victime est devenu criminel.

GEORGES. — Laisse, Léo. Il est préférable que je m'accuse en bloc. Voilà, Yvonne : j'ai joué un triste personnage. J'ai forcé cette pauvre petite à mentir, à se salir. Je lui ai soufflé son rôle. L'individu est de moi. J'ai profité de ce que Michel est crédule et de ce que Madeleine mourait de peur. C'est effrayant.

YVONNE. — Tu as fait cela?

GEORGES. — Je l'ai fait. Je le jure.

YVONNE. — Georges! Tu pouvais tuer Michel!

GEORGES. — Il n'en vaut guère mieux. C'est pourquoi je parle de crime. Et je risquais de tuer Madeleine en arrivant à l'improviste. Et après l'avoir jetée dans l'état que vous avez pris pour du trac, j'ai profité du tête-à-tête que tu exigeais, et je l'ai achevée. C'est du beau travail. C'est même ma meilleure invention. La seule de mes inventions qui marche. Et j'en étais fier. Il a fallu Léo pour me mettre le nez dans mon ordure.

LÉO. — Georges!... Georges!... Je dois être franche. Sans moi...

GEORGES. — Sans toi, je continuais. Assez sur ce chapitre! Non, Léo, je prétends prendre aujourd'hui toutes mes responsabilités, les prendre seul. C'est à croire que cette roulotte, comme vous dites, exerce un charme... (*A Yvonne qu'il embrasse.*)... le charme d'Yvonne, et nous rend sourds et aveugles. Nous en parlions, avec Léo, avant que tu n'entres. C'est pourquoi ta phrase "si cette femme n'était pas une grue" nous a ôté un poids. Je craignais, je l'avoue, d'avoir à combattre.

YVONNE. — Georges, ne sois pas absurde. Tu es dans une crise de sublime, de confessions et de sacrifices. Léo est trop équilibrée pour ne pas le comprendre. Méfie-toi, mon bon ami. C'est toi qui rêves debout! Voyons, voyons, c'est à moi, la somnambule extra-lucide et la tireuse de cartes de cette roulotte d'y voir clair. Ce qui est fait est fait. Michel ni cette jeune femme ne sont morts. Ils traversent une crise, comme toi, comme nous tous. La sagesse consiste à crier ouf! parce que rien n'est arrivé de ce que l'on pouvait craindre, et à profiter de nos chances.

GEORGES. — Nos chances! Quelles chances?

Est-ce que tu te rends compte des mots que tu emploies?

YVONNE. — J'emploie les mots qui me viennent, les mots naturels. Je suis une mère qui aime son fils et qui soigne ses blessures. Je ne suis pas sublime le moins du monde... Ah! non. J'estime que tu as peut-être eu tort, c'est possible, mais que, dans l'ensemble, nous avons eu la chance, oui, oui, la chance, d'en sortir sains et saufs.

GEORGES. — Il n'y a pas cinq minutes que tu disais d'une voix mourante : c'est infernal! Je n'en peux plus!

YVONNE. — C'est justement parce que c'est infernal, parce que je n'en peux plus, que je retrouve des forces pour crier : halte! quand vous voulez que ce qui était fini, classé, se remette en marche. Je répète, moi, l'idiote du village, qu'il faut profiter des chances d'une malheureuse histoire sur laquelle vous ne pouvez plus revenir!

LÉO. — Mais, Yvonne, de quelles chances parles-tu?

YVONNE. — Eh bien, par exemple, c'est une chance que le vieux ait été Georges.

GEORGES. — Merci beaucoup.

YVONNE. — Parce que si le vieux avait été un autre, un vrai autre, je connais Georges... Je te connais... Tu te serais laissé attendrir et tu aurais manqué de poigne.

GEORGES. — Poigne? Je me vengeais bassement et je me donnais l'excuse de te rendre service, de suivre tes ordres...

LÉO. — Ma chère Yvonne, il me semble que vous vous comprenez mal et que ton point de vue échappe à Georges.

GEORGES. — Je ne comprends pas mal, je ne comprends rien du tout.

LÉO. — Vous voyez? (*A Georges.*) Yvonne, si je ne me trompe, trouve que, malgré la casse, c'est une chance que Michel croie ce mariage impossible.

YVONNE. — Mais...

LÉO. — Une seconde — et Georges te prouve, lui, qu'il ne se présente plus le moindre obstacle.

YVONNE. — Obstacle à quoi?

GEORGES. — Aucun obstacle à l'amour de Michel et de Madeleine.

YVONNE. — Tu dis?

GEORGES. — Je dis que nous avons failli tuer ces enfants par égoïsme, et qu'il est urgent de les faire revivre, voilà ce que je dis.

YVONNE. — Et c'est toi! toi...

GEORGES. — Yvonne, c'est le moment de se dire la vérité vraie. Je n'ai jamais eu grand-chose de Madeleine; si, pour être juste, une véritable tendresse, et je me montais le cou, et je m'arrangeais, et je me refusais d'admettre sa franchise. Je l'obligeais à traîner le poids d'un pauvre mensonge qu'elle ne demandait qu'à ne plus me faire. Cette idylle lamentable ne prendrait forme, hélas, que si Michel apprenait...

YVONNE. — Quelle horreur!

GEORGES. — Là-dessus nous sommes d'accord.

LÉO. — Et vous allez l'être sur le reste.

YVONNE. — Georges, tu penses, vous pensez, Léo et toi, sérieusement, tranquillement, que cette personne pourrait porter notre nom, entrer dans notre milieu.

GEORGES. — Ton grand-père collectionnait les points et virgules, le sien était relieur, je trouve, ma chère Yvonne...

YVONNE. — Je ne plaisante pas et je te demande...

GEORGES. — Ne me demande pas d'envisager sans rire des absurdités pareilles. Un nom! un milieu? As-tu regardé d'en haut une salle de théâtre? Tous ces gens ne se connaissent pas, et chacun possède un milieu et croit que c'est le seul qui compte. Il y avait peut-être des milieux, mais il n'y en a plus.

YVONNE. — Nos familles existent.

GEORGES. — A t'entendre on nous croirait sortis de la cuisse de Jupiter! Je suis un inventeur de seconde main, un raté. Toi, une malade qui vit dans l'ombre. Léo reste une vieille fille pour nous venir en aide. Et c'est au nom de tout cela, de tout ce désastre, de tout ce vide, de tout ce déséquilibre, que tu refuserais à Michel la réussite, l'air, l'espace? Non! non! non! je m'y oppose.

LÉO. — Bravo, Georges.

YVONNE. — Naturellement! Georges est un dieu. Il est infaillible.

LÉO. — Je l'admire.

YVONNE. — Dis plutôt que tu l'aimes.

GEORGES. — Yvonne!

YVONNE. — Mariez-vous! mariez-les! Moi je disparaîtrai! Je vous laisserai la place libre! Rien de plus simple!

LÉO. — Tu deviens folle!...

YVONNE. — Oui, Léo, je deviens folle. Il ne faut pas m'en vouloir.

LÉO. — Je ne t'en veux pas.

YVONNE. — Merci. Je te demande pardon.

LÉO. — Voilà les « merci » et les « pardon » qui recommencent. Rayons-les de notre liste. Écoute-moi, Yvonne : si j'avais vraiment *voulu* Georges, je ne t'aurais pas laissé le prendre. J'aurais trouvé quelque chose. C'est trop tard pour revenir là-dessus. Il ne nous reste qu'un moyen de retaper nos ruines, c'est d'empêcher celle de Mik. C'est d'écouter Georges. C'est d'éclairer Mik, c'est de lui rendre la vie.

YVONNE. — Est-ce la vie?

GEORGES. — Sans aucun doute. Du reste, tu ne pourrais plus supporter maintenant l'état où Michel se trouve. Tu le supportais tant que tu avais une excuse. Pourquoi tarder? Yvonne.

YVONNE. — De toute façon, cette petite est beaucoup trop jeune.

LÉO. — Hein?

GEORGES. — Elle a trois ans de plus que Michel. Hier tu la trouvais trop vieille...

YVONNE. — Elle est trop jeune... par rapport à moi.

GEORGES. — C'est énorme...

YVONNE. — Vous me demandez l'impossible.

GEORGES. — On l'a demandé à cette petite, elle l'a fait.

LÉO. — Tu luttes contre toi, avec de vieilles armes.

YVONNE. — J'ai retrouvé Mik, je ne veux pas le reperdre.

GEORGES. — Tu ne retrouveras Michel qu'en lui donnant Madeleine. Le Michel que tu crois avoir retrouvé habite les limbes. Non seulement tu risques de te faire haïr, mais, même si nous lui laissions croire que Madeleine le trompe, ce qui serait abominable, ce à quoi je me refuse, une part de lui douterait et vivrait auprès d'elle. Tu ne bénéficierais pas de ton crime.

LÉO. — En somme, si je comprends bien, ton idéal serait d'avoir un fils infirme pour qu'il ne quitte pas la maison.

YVONNE, *elle se brise et fond en larmes.* — C'est trop... c'est trop pour moi.

GEORGES. — Rien n'est trop quand on aime. Tu aimes Michel. Songe à sa gratitude quand tu lui apprendras que Madeleine avait menti par héroïsme...

YVONNE. — Georges... Georges...

GEORGES, *comme à une enfant.* — Il ne demande qu'à le croire... Au lieu de cette fête et de cette gratitude, tu nous vois avec un Michel amer.

LÉO, *même jeu.* — Qui épousera, par amertume, une de ces jeunes filles niaises et laides qui attendent le malheur sur une chaise de bal.

GEORGES, *même jeu.* — Yvonne, laisse-toi briser, ouvre-toi en deux, montre ton cœur.

YVONNE, *elle se dégage, se met à genoux sur le lit et a un sursaut de révolte.* — Laissez-moi! Ne vous hissez pas sur un piédestal! Vous n'en êtes pas plus dignes que moi, après tout. Mensonges! Mensonges! Mensonges! Essayez donc de sortir de vos mensonges. (*A Georges.*) Hier, en arrivant chez cette femme, je me rappelle, tu as été jusqu'à faire semblant de te tromper d'étage, de ne pas savoir son étage. J'ai été roulée, j'ai été votre dupe. Vous vous êtes ligués contre moi. Tu as osé me conduire chez ta maîtresse.

GEORGES. — Tais-toi!

YVONNE. — Chez ta maîtresse...

GEORGES. — Tais-toi. Tu perds la tête. Veux-tu que cet enfant t'entende?...

YVONNE. — Je me défendrai!

GEORGES. — Tu te défends contre toi et à tort et à travers. Mets-toi en ordre...

YVONNE. — Et si j'y tiens, moi, à mon désordre. C'est le nôtre.

GEORGES. — Yvonne, il y a des minutes où l'on sent qu'on peut racheter tout, se sauver et sauver les autres. Yvonne, ma chérie, accepte, imite-moi.

YVONNE. — Convoquer encore cet enfant, retourner chez cette femme, s'humilier...

GEORGES. — Mais lâche donc cet orgueil absurde! Il ne s'agit plus de « convoquer » Michel et de lui parler du « bureau de son père », il s'agit de courir jusqu'à sa chambre, de l'embrasser, de le miraculer.

LÉO. — Et quant à Madeleine, je m'en suis chargée. Je m'en suis chargée à mes périls et risques.

YVONNE, *droit sur Léo.* — Léo! De quoi te mêles-tu? Qu'est-ce que tu as fait?

LÉO. — Mon devoir. J'ai parlé, j'ai écouté, consolé; j'ai même téléphoné.

YVONNE, *détachant toutes les syllabes.* — Tu lui as téléphoné?

LÉO. — De venir.

Léo entre dans sa chambre.

SCÈNE III

GEORGES, YVONNE

YVONNE. — Voilà donc ce que vous complotiez!

GEORGES. — Ce que Léo complotait à mon insu et dont je la remercie.

YVONNE. — Vous voulez me forcer la main.

GEORGES. — Nous voulons te sauver, nous sauver, sauver Michel.

YVONNE. — Elle a ce qu'elle veut. Elle sera dans la place.

GEORGES. — Ne parle pas comme ça; c'est si mal.

YVONNE. — Vous êtes devenus des saints. Il me faudra du temps. J'irai moins vite.

GEORGES. — Est-ce que tu t'imagines que je ne fais pas un immense effort?

YVONNE. — Mon pauvre vieux.

GEORGES. — Ma pauvre vieille! Nous ne sommes des vieux ni l'un ni l'autre, Yvonne... et pourtant...

YVONNE. — Et pourtant un jour on s'aperçoit que les enfants poussent, que ce sont des ôte-toi-de-là-que-je-m'y-mette.

GEORGES. — C'est dans l'ordre.

YVONNE. — L'ordre n'est pas mon fort.

GEORGES. — Ni le mien. Tu es glacée...

YVONNE. — Oh! moi...

Léo sort de sa chambre

SCÈNE IV

YVONNE, LÉO, GEORGES

LÉO. — Préparons notre petite fête. Allumons ’arbre. C’est la bonne note, tenons-nous-y.

GEORGES. — Je n’ai aucune habitude des fêtes, des surprises.

YVONNE. — Quand tu en fais, tu les fais excellentes.

LÉO. — Pouce! Pas de disputes.

GEORGES. — Comment comptes-tu procéder?

LÉO. — C’est très simple. Yvonne, il est capital que la chose lui vienne de toi, qu’il te la doive.

YVONNE. — Mais...

LÉO. — Il n’y a pas de mais.

YVONNE. — Puisque j’agis à contrecœur...

LÉO. — Ne le montre pas.

YVONNE. — J’aurai l’air grotesque. Et puis je gèle. Regarde. Écoute. J’ai les dents qui claquent.

GEORGES. — C’est nerveux.

YVONNE. — Je mourrais que tu dirais : c’est nerveux. J’ai les genoux qui flanchent.

LÉO. — Essaie. Prends mon épaule. Il *faut*.

GEORGES. — Il faut, Yvonne. Pense au cadea[u] que tu vas mettre dans ses souliers.

YVONNE. — Si je les trouve!

Une porte claque

LÉO. — Une porte qui claque. C'est Michel. Il t[e] facilite la besogne. Un " miracle ", tu vois.

YVONNE. — Voilà où vous m'avez conduite.

GEORGES, *il écoute*. — Qu'est-ce qu'il fait? O[ù] allait-il?

LÉO. — S'il sortait...

YVONNE. — Il claquerait l'autre porte.

LÉO. — C'est juste.

YVONNE, *très bas. D'une voix d'extra-lucide*. — I[l] n'a rien mangé depuis hier. Il a été au buffet. I[l] hésite. Il se dirige vers ma porte. Il écoute, il me[t] la main sur le bouton de la porte.

On voit le bouton qui tourne

LÉO. — Notre roulotte ne vole pas son monde

YVONNE. — Il ouvre. (*La porte s'ouvre lentement.*) J'ai peur, comme si ce n'était pas Mik... Comm[e] si c'était je ne sais quoi d'extraordinaire... de terrible. Léo! Georges!... (*Elle s'accroche à eux.*) Qu'est ce que j'ai? (*Elle appelle.*) Mik!

SCÈNE V

LES MÊMES, *plus* MICHEL

MICHEL, *il apparaît et laisse la porte entrouverte,* *l a une sale tête et les yeux rouges, presque fermés.* — ophie... c'est moi...

YVONNE. — Eh bien, entre! Ferme *tes* portes.

MICHEL. — Pourquoi *tes* portes? Je ferme, je erme. Je ne voulais qu'entrer et sortir. Je cherchais e sucre.

YVONNE. — Tu sais où il est.

MICHEL. — Oui. Tu es seule?

YVONNE. — Mon pauvre chéri, tu ne vois donc as ta tante et ton père?

MICHEL. — Oh! pardon, Léo, pardon, papa. Je 'y vois plus à un mètre... Je vous dérange?

Il entre dans le cabinet de toilette et revient en mangeant du sucre.

GEORGES. — Tu nous déranges si peu que ta nère voulait aller te chercher.

MICHEL. — Du reste... je voulais... j'avais à te arler, maman, et puisque ce que j'ai à te dire, aurai à le dire après à papa et à Léo, je profite e ce que vous êtes tous ensemble. D'abord, Sophie,

je m'excuse de t'avoir renvoyée de ma chambre, d
t'avoir dit de t'en aller. Je me dégoûtais. Je ne tenai
pas... enfin, tu comprends.

YVONNE. — J'ai très bien compris, mon pauvr
Mik.

MICHEL. — Je ne suis pas à plaindre.

GEORGES. — Qu'est-ce que tu voulais nou
apprendre?

MICHEL, *mangeant son sucre, gêné.* — Voilà. J
ne compte pas vivre à plat ventre par terre. Alors
papa, cette place au Maroc, tu m'avais affirmé qu
si je me décidais...

YVONNE. — Tu me quitterais!

MICHEL. — C'est décidé.

YVONNE. — Mik!

MICHEL. — Oh! Sophie, je ne peux plus être d'u
voisinage bien agréable et, même, je risque de vou
infecter, de vous rendre tous malades.

YVONNE. — Tu es fou!

MICHEL. — Fou, je le deviendrai à Paris. Il es
impossible que j'y reste. Il est impossible que j
reste à la maison. Et, comme je ne quitterai pa
la maison pour une autre... j'aimerais partir loi
et très vite. Je travaillerai. Je suis un touche-à-tout
un bon à rien. Le suicide me dégoûte. Il est indispensable de changer d'air, de voir du neuf. L'Europe...

Il fait un geste d'adieu

YVONNE. — Et moi, et nous!

MICHEL. — Oh! Sophie!

YVONNE. — Donne ta main. Écoute, Mik. Écoute-moi. Lève la tête. Et si tu n'avais plus à partir?

GEORGES. — Si nous t'annoncions, par exemple, une bonne nouvelle?

MICHEL. — Il ne peut plus y avoir de bonnes nouvelles pour moi.

LÉO. — Cela dépend. Si ce qui motive ta fuite... ton départ, disparaissait.

YVONNE. — Si tu n'avais plus, pour nous quitter, pour mépriser l'Europe, les mêmes motifs?

MICHEL. — Laisse, Sophie. Je retourne dans ma chambre. Papa...

GEORGES. — Non, Michel, ne retourne pas dans ta chambre et ne me demande pas que je m'occupe de ce poste.

MICHEL. — Tu m'avais promis...

GEORGES. — Mik, je t'annonce, moi, une nouvelle, une très grosse et très bonne nouvelle. Madeleine...

MICHEL. — Qu'on ne me parle plus d'elle! Qu'on ne me parle plus de cette personne. Jamais! Jamais! Qu'on ne me touche plus à cet endroit-là. Vous voyez bien que je suis à vif! Taisez-vous!

LÉO. — Michel, écoute ton père.

MICHEL, *sauvagement*. — Je défends qu'on recommence! Je défends qu'on me parle de cette personne... Entendez-vous!

GEORGES, *il l'empêche de passer.* — Il faut que je te parle d'elle.

MICHEL. — Je n'écouterai pas. J'en ai assez.

Il frappe du pied contre le lit.

GEORGES. — Ne donne pas de coups de pied dans le lit de ta mère, s'il te plaît. Ta mère est malade. Et d'abord, parle plus bas.

MICHEL, *buté.* — Que me voulez-vous?

GEORGES. — Ta tante est rentrée après nous tous, hier, de cette visite.

MICHEL. — Vous essayez de me convaincre de rester à Paris en inventant des mensonges. Vous essayez de retarder ma décision. Ne vous donnez pas tant de mal, ma décision est prise.

YVONNE, *dans un cri.* — Tu ne partiras pas!

MICHEL, *montrant sa mère.* — Vous voyez!

GEORGES. — Tu ne partiras pas, parce que ce serait un crime de partir.

MICHEL. — Quel crime?

GEORGES. — Un crime, parce que si ta famille ne compte plus, il existe au moins une personne qui doit recevoir tes excuses, une personne à qui tu dois demander la permission de partir.

MICHEL, *riant d'un mauvais rire, à Georges.* — Ah! que je suis bête. J'ai compris. Cette personne a eu du cran en ta présence et elle a cessé d'en avoir en face de Léo. Elle s'est retrouvée d'égale à égale. Elle a fait du charme.

LÉO. — Il n'est pas facile de me mentir.

MICHEL. — Je ne croirai plus rien.

GEORGES. — Et tu auras tort... Yvonne?

YVONNE. — Crois-le, Mik.

GEORGES. — Te voilà moins incrédule.

MICHEL. — Ne me torturez pas.

GEORGES. — Qui parle de te torturer? Non seulement cette jeune femme est innocente, mais elle est admirable.

MICHEL. — En quoi, grands dieux?

GEORGES. — Et c'est à moi, à moi de te demander pardon. Hier, notre attitude l'a épouvantée. Elle a cru que jamais elle n'en viendrait à bout. Elle m'a menti. Et je le sentais et je faisais la sourde oreille. Mik, elle a inventé cette histoire sur place, pour te rendre libre, pour nous délivrer d'elle.

MICHEL. — Si c'était vrai, ce mensonge-là, je serais une brute de n'avoir cherché aucune preuve, de m'être sauvé, buté.

GEORGES. — Tu n'as pas été une brute, mon petit. Tu as été comme les êtres simples et propres. Tu crois le mal aussi vite que tu crois le bien.

MICHEL. — Vous me trompez. On craignait que mon départ ne désespère Sophie.

LÉO. — Il ne s'agissait pas de Maroc, mon petit Mik, sois raisonnable. Quand tu as ouvert la porte, ta mère allait chez toi te prendre par le cou, te relever, t'amener. Elle s'en faisait une fête.

MICHEL. — Si c'était vrai, auriez-vous attendu? Sophie m'aurait-elle laissé...

LÉO. — Ta mère ne savait pas encore. Et il nous manquait une preuve. Et puis, voilà, je complotais; je te préparais une surprise.

MICHEL. — Maman, toi, toi, dis-le.

YVONNE. — Je te l'ai déjà dit.

MICHEL. — Mais alors, il faut courir, téléphoner, la rattraper n'importe où! Dieu sait de quoi elle est capable! Elle s'est peut-être sauvée! Papa. Léo. Vite! Vite! Où est-elle? Où est-elle? Où est-elle?

LÉO, *montrant sa porte.* — Elle est là.

YVONNE. — Elle est là?

LÉO. — Je la tiens enfermée dans ma chambre depuis cinq heures.

Michel tombe, raide, évanoui.

SCÈNE VI

LES MÊMES, *plus* MADELEINE. *Elle sort de la chambre de Léo avec Léo.*

YVONNE. — Mik! Mik! Il se trouve mal.

GEORGES. — Michel, regarde : Madeleine est près de toi.

Madeleine aide à soutenir Michel.

LÉO. — Il était dans un état de nerfs effroyable; ce n'est rien, Madeleine, parlez-lui.

MADELEINE. — Michel! Michel! C'est moi. Comment te sens-tu?

MICHEL, *il se soulève.* — J'ai tourné de l'œil. C'est ridicule. Madeleine, ma petite fille; je te demande pardon...

Il la serre contre lui. Yvonne s'écarte.

MADELEINE. — Il faut t'asseoir. Viens.

LÉO. — Le fauteuil!...

Elle éloigne le fauteuil de la coiffeuse.

GEORGES. — Je l'aiderai.

MICHEL, *il se dégage.* — Mais je n'ai pas besoin

que tu m'aides. Je ne compte pas m'évanouir. J'ai envie de sauter, de galoper, de crier.

MADELEINE. — Sois calme. Embrasse-moi.

MICHEL, *il la pousse dans le fauteuil, s'agenouille près d'elle et lui embrasse les genoux.* — Pardonne-moi, ma petite fille, ma petite Madeleine, pardonne-moi. Tu me pardonnes?

MADELEINE. — Te pardonner, mon pauvre Michel chéri, moi qui t'ai fait tant de mal!

MICHEL. — C'est moi, c'est moi qui suis un imbécile, une sale brute.

LÉO. — Si j'étais vous, mes enfants, je ne m'expliquerais pas, je recommencerais à zéro.

Pendant ce qui précède, Yvonne est restée seule, contre le mur, entre la porte du fond et l'angle de la pièce. Elle s'éloigne un peu vers la droite et, pendant ce qui va suivre, regagne lentement son lit où elle se couche.

GEORGES, *debout près du fauteuil de Madeleine. Ils forment un groupe à l'extrême gauche.* — Léo a raison.

MICHEL. — Léo est une merveille.

GEORGES. — Léo est une merveille. C'est vrai.

MADELEINE. — Je n'arrive pas encore à croire que ce qui se passe, se passe en réalité.

MICHEL. — Et moi qui voulais me sauver à toutes jambes, obtenir mon poste au Maroc.

MADELEINE. — Au Maroc?

C'est à ce moment qu'Yvonne se couche. Elle ne les a pas quittés des yeux.

GEORGES. — Eh oui! Pendant que vous attendiez dans la chambre de Léo, Michel nous annonçait d'un air funèbre, en mangeant du sucre, qu'il trouvait l'Europe inhabitable et qu'il avait décidé de vivre au Maroc.

LÉO. — Es-tu encore décidé, Michel?

MICHEL. — Moque-toi de moi.

GEORGES. — Il ne voulait rien entendre.

MICHEL. — Papa...

LÉO. — Cette fois, c'est Georges qui recommence.

GEORGES. — Pouce!

MADELEINE. — Que vous êtes bons...

Sur cette réplique, Yvonne descend du lit et se glisse dans la salle de bains, sans être vue.

LÉO, *lui prenant les mains.* — Elle se réchauffe.

MICHEL. — Tu avais froid?

MADELEINE. — J'avais froid comme tu as tourné de l'œil. La surprise était un peu forte. Maintenant, je parle, je m'habitue. Quand je suis entrée, je n'y voyais rien. Je ne reconnaissais pas ta tante.

GEORGES. — Vous n'y voyiez rien parce qu'on n'y voit rien. Ma femme déteste la grande lumière. Ne vous avisez pas d'allumer le lustre...

LÉO, *bas à Michel.* — Ta mère...

MICHEL, *il regarde vers la chambre vide.* — Où est-elle?

MADELEINE *se lève.* — C'est peut-être ma faute...

GEORGES. — Quelle folie! Elle était avec nous il y a une minute...

LÉO, *à Michel.* — Tu aurais dû aller l'embrasser...

MICHEL. — Je la croyais près de nous. (*Il appelle.*) Sophie!

GEORGES. — Yvonne!

YVONNE, *de la salle de bains.* — Je ne suis pas perdue. Je suis là. Je fais ma piqûre.

MADELEINE, *haut.* — Madame, voulez-vous que je vous aide?

YVONNE, *même jeu.* — Merci, merci. J'ai l'habitude d'être seule.

LÉO. — Yvonne ne supporte pas d'être aidée. Elle est maniaque.

Ils parlent à voix basse.

MADELEINE. — A la longue, j'arriverai peut-être à la convaincre.

MICHEL. — Ce serait une victoire.

LÉO, *à Madeleine.* — Yvonne est très susceptible. Michel était tout à vous, ce qui est normal. Soyez attentifs, mes enfants...

MADELEINE. — Justement, je craignais de l'avoir mise en fuite.

GEORGES. — Pas le moins du monde. Léo, ne présente pas Yvonne comme un loup-garou.

LÉO. — Je ne présente pas Yvonne comme un loup-garou, mais je préviens Michel. Dans l'intérêt de la petite. Il ne faudrait pas rendre Yvonne jalouse.

GEORGES. — Effraie-la, maintenant!

MICHEL. — Laisse, papa. Madeleine est très intelligente.

MADELEINE. — Je ne m'effraie pas, Michel, mais je crains...

GEORGES. — Prenez garde...

La porte de la salle de bains s'ouvre. Yvonne, debout dans l'ombre, s'appuie au chambranle. Elle parle d'une voix bizarre.

YVONNE. — Vous voyez, Mademoiselle, comment on m'aime. Je ne peux pas sortir une petite seconde sans qu'ils se sentent perdus. Je n'étais pas perdue. Je me soignais. (*Elle avance vers le lit et s'y laisse tomber.*) Mademoiselle, je suis une vieille dame. Sans l'insuline, je serais morte.

LÉO, *bas à Michel.* — Cours l'embrasser.

MICHEL, *cherchant à entraîner Madeleine.* — Viens.

MADELEINE, *elle le pousse.* — Va.

GEORGES, *à Yvonne.* — Tu n'es pas mal?

YVONNE, *avec effort.* — N...on.

MICHEL, *il lâche Madeleine et s'approche du lit.* — Sophie! Tu es contente?

YVONNE. — Très. (*Michel veut l'embrasser.*) Ne me bouscule pas! Mademoiselle, vous avez de la chance si Mik ne vous embrasse sur les oreilles et ne vous tire les cheveux.

LÉO, *frappant dans ses mains.* — Michel, tu devrais montrer ta fameuse chambre à Madeleine.

MADELEINE. — Michel!... Tu refuses de me montrer ta chambre?

MICHEL. — Tu vas ranger!

MADELEINE. — Oh!

GEORGES. — Je vous accompagne. Je vous expliquerai ma carabine.

MICHEL. — On va lui faire les honneurs de la roulotte. En marche! (*Il ouvre la porte du fond à gauche et s'efface.*) ... Sophie, on te laisse avec la représentante de l'ordre. Léo, empêche maman de dire du mal de nous.

YVONNE. — Mik! arrêtez... restez!

GEORGES, *il s'élance vers le lit.* — Qu'est-ce que tu as?... Yvonne! (*Yvonne retombe en arrière.*) Yvonne!...

YVONNE. — J'ai peur.

MICHEL. — Peur de nous?

YVONNE. — Rien. J'ai peur. J'ai une peur atroce.

Restez! Restez! Georges! Mik! Mik! J'ai une peur atroce.

LÉO. — Ce n'est pas l'insuline. Elle a pris autre chose! (*Léo s'élance vers le cabinet de toilette, y entre et ressort en criant :*) J'en étais sûre!

LÉO. — Qu'est-ce que tu as fait?

YVONNE. — La tête me tourne, Georges, j'ai fait une folie, une folie affreuse. J'ai fait...

MICHEL. — Sophie! parle-nous.

YVONNE. — Je ne peux pas. Je voudrais. Sauvez-moi! Sauve-moi, Mik! Je vous ai vus ensemble, là-bas, dans le coin. Je me suis dit que je vous gênais, que je dérangeais les autres.

MICHEL. — Maman!

GEORGES. — Bon Dieu!

YVONNE. — J'ai perdu la tête. Je voulais mourir. Mais je ne veux plus mourir. Je veux vivre! Je veux vivre avec vous! Vous voir... heureux. Madeleine, je vous aimerai. Je vous le promets. Courez! Faites quelque chose. Je veux vivre! J'ai peur! Au secours!

MADELEINE. — Ne restez pas ahuris.

GEORGES. — Michel, ne perdons pas la tête. Cours chez le médecin du dessus. Ramène-le de force. Moi je téléphonerai au professeur, à la clinique.

MADELEINE, *à Michel, hébété.* — Mais va, va donc!

Elle le secoue. Michel se sauve par le fond, à droite. On entend claquer une porte et toute la fin d'acte sera accompagnée de portes bruyantes.

LÉO, *à Georges.* — Téléphone. Je reste.

GEORGES. — Il y a de quoi rendre fou!

Il sort par le fond à gauche.

SCÈNE VII

YVONNE, LÉO, MADELEINE

MADELEINE. — Son pouls est très faible... il est égal, mais très faible.

LÉO. — Je sentais quelque chose... je le sentais.

MADELEINE, *elle s'écarte du lit.* — C'est ma faute. Ma place n'est pas ici. Je dois partir.

LÉO. — Partir?

MADELEINE. — Quitter Michel, Madame.

LÉO. — Ne soyez pas stupide. Restez. Je vous l'ordonne. Du reste, Michel va avoir besoin de vous, comme Georges aura besoin de moi.

Silence.

YVONNE. — Je t'entends, Léo.

LÉO. — Qu'est-ce que tu entends?

YVONNE. — Je t'ai entendue. Tu as oublié que je pouvais t'entendre.

LÉO. — Entendu quoi?

YVONNE. — Fais l'innocente. On veut se débarrasser de moi... on veut...

LÉO. — Yvonne!

YVONNE. — Je me suis empoisonnée et je vous empoisonnerai. Je vous empoisonnerai, Léo! Je vous ai vus... je vous ai vus là-bas, dans le coin, je vous ai vus tous. On voulait me mettre au rancart, on voulait, on voulait... on voulait... Mik! Mik!

LÉO, *criant*. — Georges!

SCÈNE VIII

YVONNE, LÉO, MADELEINE, GEORGES *plus* MICHEL

GEORGES, *il rentre par le fond à gauche.* — Le professeur est à la campagne. Ils envoient un interne...

LÉO. — Georges, Yvonne a le délire...

YVONNE. — Je n'ai pas le délire, Léo. On voulait m'évincer, me plaquer, me laisser en plan. J'ai compris. Je par-le-rai.

GEORGES, *il embrasse Yvonne sur les lèvres.* — Du calme... du calme.

YVONNE. — Voilà combien d'années que tu ne m'embrasses plus sur la bouche? Tu m'embrasses pour me fermer la bouche...

GEORGES, *il essaie de la faire taire en la caressant.* — Là... là... là...

YVONNE. — Je vous empoisonnerai. Je vous dénoncerai. Je dirai à Mik...

MICHEL, *il entre en coup de vent.* — Personne. On ne répond pas.

YVONNE. — Michel! Écoute-moi... Écoute-moi, Michel! Je ne veux pas... je ne veux pas... je veux... je veux que tu saches...

LÉO, *pendant les cris d'Yvonne.* — Michel, ta maman délire. Retéléphone à la clinique. Ma petite Madeleine, je vous en supplie, aidez-le. Jamais il ne se débrouillera seul. Vite, vite, ne traînez pas.

Elle les pousse dehors, par la porte du fond à gauche, pendant les répliques suivantes.

SCÈNE IX

YVONNE, LÉO, GEORGES

YVONNE. — Restez! Restez! Je vous l'ordonne! Mik! Mik! On te trompe! On t'écarte. C'est un prétexte. Les misérables! Je ne vous laisserai pas profiter de votre sale besogne!

LÉO, *au pied du lit, terrible.* — Yvonne!

YVONNE. — C'est toi, toi qui as tout manigancé. Tu voulais ma mort, tu voulais rester seule avec Georges.

GEORGES. — Quelle horreur...

YVONNE. — Oui, quelle horreur! Et je... je...

Elle retombe.

GEORGES. — Pourvu que l'interne arrive... Si Michel prenait une voiture.

LÉO. — Il se croiserait avec l'interne.

GEORGES. — Mais que faire? que faire?

LÉO. — Attendre...

YVONNE, *ouvrant les yeux.* — Mik! tu es là? Où es-tu?

GEORGES. — Il est là... il va venir.

YVONNE, *d'une voix douce.* — Je ne serai pas méchante... Je ne voulais pas... je vous voyais tous, dans le coin... J'étais seule, seule au monde. On m'avait oubliée. J'ai voulu vous rendre service. Ma tête tourne, Georges, redresse-moi. Merci... Léo, c'est toi? Et cette petite... je l'aimerai... Je veux vivre. Je veux vivre avec vous. Je veux que Mik...

LÉO. — Tu verras ton Mik heureux... Reste tranquille. Le médecin arrive... nous te gardons.

YVONNE, *un recul.* — Quoi? C'est vous! C'est encore vous! Et toi, et Georges! Qu'on les arrête. Qu'on m'interroge. Ah! Ah! Ils crèvent de peur. Vous, ne me touchez pas! ne m'approchez pas. Qu'ils viennent! Qu'ils viennent! Qu'ils entrent!... Michel! Michel! Au secours! Michel! Michel! Michel! Michel! Michel! Michel! Michel! Michel! (*Elle hurle.*) Michel! Michel! Michel! Michel! Michel! Michel! Michel! Michel! Mik! Mik! Mik! Mik! Mik!...

Elle s'immobilise.

GEORGES *et* LÉO, *pendant les cris d'Yvonne.* — Yvonne, je t'en conjure. Couche-toi. Repose-toi. Tu vas te tuer. Tu vas te tuer de fatigue. Écoute-moi... Écoute-nous... aide-nous...

Léo a saisi un des oreillers tombés par terre pendant qu'Yvonne se débat. Elle veut lui soulever la tête, se redresse lentement, laisse tomber l'oreiller et regarde Georges.

GEORGES. — C'est impossible...

Il se laisse glisser, la figure dans les draps et les châles.

SCÈNE X

YVONNE, LÉO, GEORGES, MADELEINE MICHEL

MICHEL, *il entre avec Madeleine, par le fond.* — Impossible d'obtenir quoi que ce soit. Je descends...

LÉO. — Inutile, Michel.

MICHEL. — Fiche-moi la paix!

LÉO, *après un grand silence.* — Ta mère est morte.

MICHEL. — Quoi?

Il reste frappé de stupeur, avance vers le lit.

GEORGES. — Mik, mon pauvre Mik...

MICHEL. — Sophie...

Léo s'est écartée, seule, jusqu'à l'extrême gauche.

LÉO. — Le voilà votre milieu. Vous donneriez n'importe quoi pour qu'Yvonne soit vivante... et pour la torturer après.

MICHEL, *dressé vers Léo.* — Léo!

GEORGES. — Michel! Tu oublies que tu es chez ta mère.

MICHEL, *frappant du pied.* — Il n'y a pas de mère. Sophie est une camarade. (*Il s'élance vers le lit.*) Maman, dis-leur. Ne m'as-tu pas répété mille fois...

MADELEINE, *qui est restée clouée par ce spectacle.* — Michel! Tu es fou...

MICHEL. — Dieu! J'avais oublié... J'oublierai toujours. (*Il s'effondre, contre le lit.*) Jamais je ne comprendrai. Jamais.

On sonne dans le vestibule.

Léo traverse la scène et sort par le fond à droite. Madeleine met sa tête contre celle de Mik.

MADELEINE. — Michel... Michel. Mon chéri...

LÉO, *elle rentre.* — C'était la femme de ménage. Je lui ai dit qu'ici elle n'avait rien à faire, que tout était en ordre.

Rideau.

LA MACHINE INFERNALE *(Grasset)*.
THÉATRE DE POCHE *(Edit. du Rocher)*.
BACCHUS *(Gallimard)*.
THÉATRE I et II *(Grasset)*.
RENAUD ET ARMIDE *(Gallimard)*.
LE BAL DU COMTE D'ORGEL, de R. Radiguet *(Edit. du Rocher)*.
L'IMPROMPTU DU PALAIS-ROYAL *(Gallimard)*.

POÉSIE GRAPHIQUE

DESSINS *(Stock)*.
LE MYSTÈRE DE JEAN L'OISELEUR *(Champion)*.
MAISON DE SANTÉ *(Briant-Robert)*.
PORTRAITS D'UN DORMEUR *(Mermod)*.
DESSINS POUR LES ENFANTS TERRIBLES *(Grasset)*.
DESSINS POUR LES CHEVALIERS DE LA TABLE RONDE *(Gallimard)*.
DRÔLE DE MÉNAGE *(Edit. du Rocher)*.
LA CHAPELLE SAINT-PIERRE *(Edit. du Rocher)*.
LA MAIRIE DE MENTON *(Edit. du Rocher)*.
LA CHAPELLE SAINT-BLAISE-DES-SIMPLES A MILLY *(Edit. du Rocher)*.

LIVRES ILLUSTRÉS PAR L'AUTEUR

OPÉRA *(Arcanes)*.
LÉONE *(Gallimard)*.
ANTHOLOGIE POÉTIQUE *(Club Français du Livre)*.
LE GRAND ÉCART *(Stock)*.
THOMAS L'IMPOSTEUR *(Gallimard)*.
LES ENFANTS TERRIBLES *(Edit. du Frêne, Bruxelles)*.
LE LIVRE BLANC *(Morihein)*.
DEUX TRAVESTIS *(Fournier)*.
LE SECRET PROFESSIONNEL *(Sans Pareil)*.
OPIUM *(Stock)*.
CARTE BLANCHE *(Mermod, Lausanne)*.
PORTRAIT DE MOUNET-SULLY *(F. Bernouard)*.
PORTRAITS-SOUVENIRS *(Grasset)*.
DÉMARCHE D'UN POÈTE *(Bruckmann)*.
LE SANG D'UN POÈTE *(Edit. du Rocher)*.
ORPHÉE *(Rombaldi)*.
LA MACHINE INFERNALE *(Grasset)*.

POÉSIE CINÉMATOGRAPHIQUE

LE SANG D'UN POÈTE *(Film — Edit. du Rocher)*.
L'ÉTERNEL RETOUR *(Film — Nouvelles Edit. Françaises)*.
LA BELLE ET LA BÊTE *(Film)*.
RUY BLAS *(Film — Edit. du Rocher)*.
LA VOIX HUMAINE *(Film, avec R. Rossellini)*.
LES PARENTS TERRIBLES *(Film — Edit. Le Monde illustré)*.
L'AIGLE A DEUX TÊTES *(Film — Edit. Paris-Théâtre)*.
ORPHÉE *(Film — Edit. A. Bonne)*.
LES ENFANTS TERRIBLES *(Film)*.
LA VILLA SANTO SOSPIR *(Kodachrome)*.
ENTRETIENS AUTOUR DU CINÉMATOGRAPHE (*Edit. A. Bonne*).

AVEC LES MUSICIENS

SIX POÉSIES (A. Honegger — *Chant du Monde)*.
HUIT POÈMES (G. Auric).
DEUX POÈMES (J. Wiener).
PARADE (Eric Satie — *Columbia)*.
LE BŒUF SUR LE TOIT (Darius Milhaud — *Capitol)*.
LES MARIÉS DE LA TOUR EIFFEL (groupe des Six — *Pathé-Marconi)*.
ANTIGONE (A. Honegger).
ŒDIPUS REX (Igor Stravinsky — *Philips*).
LE PAUVRE MATELOT (Darius Milhaud).
CANTATE (Igor Markevitch).
LE JEUNE HOMME ET LA MORT *(Ballet)*.
PHÈDRE *(Ballet)* (G. Auric — *Columbia*).
LA DAME A LA LICORNE *(Ballet)* (J. Chailley).

Dans Le Livre de Poche :

THOMAS L'IMPOSTEUR
LES ENFANTS TERRIBLES
LA MACHINE INFERNALE
OPÉRA *suivi de* PLAIN-CHANT
L'AIGLE A DEUX TÊTES
LE GRAND ÉCART

IMPRIMÉ EN FRANCE PAR BRODARD ET TAUPIN
6, place d'Alleray - Paris.
Usine de La Flèche, le 10-03-1971.
6934-5 - Dépôt légal n° 249, 1er trimestre 1971.
1er Dépôt : 3e trimestre 1955.
Le Livre de Poche - 22, avenue Pierre 1er de Serbie - Paris.
30 - 11 - 0128 - 19

Le Livre de Poche classique

Hoffmann.
Contes, 2435**.
Homère.
Odyssée, 602**.
Iliade, 1063***.
Hugo
Les Misérables (t. 1), 964**.
Les Misérables (t. 2), 966**.
Les Misérables (t. 3), 968**.
Les Châtiments, 1378**.
Les Contemplations, 1444**.
Les Travailleurs de la Mer, 1560***.
Notre-Dame de Paris, 1698***.
Les Orientales, 1969*.
Quatre-vingt-treize (t. 1), 2213**.
Quatre-vingt-treize (t. 2), 2266**.
La Légende des Siècles (t. 1). 2329**.
La Légende des Siècles (t. 2), 2330**.
Hernani suivi de *Ruy Blas*, 2434***.
Odes et Ballades, 2595**.
Labiche.
Théâtre (t. 1), 1219**.
Théâtre (t. 2), 1628**.
La Bruyère.
Les Caractères, 1478**.
Laclos (Choderlos de).
Les Liaisons dangereuses, 354**.
La Fayette (Mme de).
La Princesse de Clèves, 374*.
La Fontaine.
Fables, 1198**.
Contes et Nouvelles, 1336**.
Lamartine.
Méditations suivi de *Nouvelles Méditations*, 2537**.
La Rochefoucauld.
Maximes et Réflexions, 1530*.
Lautréamont.
Les Chants de Maldoror, 1117**.
Machiavel.
Le Prince, 879*.
Marivaux.
Théâtre (t. 1), 1970**.
Théâtre (t. 2), 2120**.
Mérimée.
NOUVELLES COMPLÈTES :
Colomba et *10 Autres Nouvelles*, (t. 1) 1217**.
Carmen et *13 Autres Nouvelles*, (t. 2) 1480**.
Molière.
Théâtre (t. 1), 1056**.
Théâtre (t. 2), 1094**
Théâtre (t. 3), 1138**.
Théâtre (t. 4), 1180**.
Montaigne.
Essais (t. 1), 1393**.
Essais (t. 2), 1395**.
Essais (t. 3), 1397**.
Montesquieu.
Lettres Persanes, 1665**.
Musset (Alfred de).
Théâtre (t. 1), 1304**.
Théâtre (t. 2), 1380**.
Théâtre (t. 3), 1431**.
Poésies, 1982**.
Nerval (Gérard de).
Les Filles du Feu suivi de *Aurélia*, 690*.
Poésies, 1226*.
Nietzsche.
Ainsi parlait Zarathoustra, 987**
Ovide.
L'Art d'aimer, 1005*.
Pascal.
Pensées, 823**.
Les Provinciales, 1651**.
Pétrone.
Le Satiricon, 589*.
Platon.
Le Banquet, 2186*.
Poe.
Aventures d'Arthur Gordon Pym, 484*.
Histoires extraordinaires, 604**.
Nouvelles Histoires extraordinaires, 1055*.
Histoires grotesques et sérieuses, 2173**.
Pouchkine.
La Dame de Pique, 577*.
Récits, 1957**.
Prévost (Abbé).
Manon Lescaut, 460*.
Rabelais.
Pantagruel, 1240**.
Gargantua, 1589**.
Le Tiers Livre, 2017**.
Le Quart Livre, 2247***.
Le Cinquième Livre, 2489***.
Racine.
Théâtre (t. 1), 1068**.
Théâtre (t. 2), 1157**.
Retz (Cardinal de).
Mémoires (t. 1), 1585**.
Mémoires (t. 2), 1587**.
Rimbaud.
Poésies complètes, 498*.

Crime et Châtiment (t. 2), (D).
Les Frères Karamazov (t. 1), (D).
Les Frères Karamazov (t. 2) (D).
Souvenirs de la Maison des Morts (D).
L'Adolescent (t. 1), (D).
L'Adolescent (t. 2), (D).
Humiliés et Offensés (t. 1), (D).
Humiliés et Offensés (t. 2), (D).

Eschyle.
Tragédies (D).

Flaubert.
Madame Bovary (D).
L'Éducation sentimentale (D).
Trois Contes (S).

Gœthe.
Les Souffrances du Jeune Werther (S).

Gogol.
Les Ames mortes (D).

Hoffmann.
Contes (D).

Homère.
Odyssée (D).

Hugo.
Les Misérables (t. 1), (D).
Les Misérables (t. 2), (D).
Les Misérables (t. 3), (D).
Les Orientales (D).
Quatre-vingt-treize, (t. 1), (D).
Quatre-vingt-treize, (t. 2), (D).
La Légende des Siècles (t. 1), (D).
La Légende des Siècles (t. 2), (D).
Les Contemplations (D).
Odes et Ballades (D).

La Bruyère.
Les Caractères (D).

Laclos (Choderlos de).
Les Liaisons dangereuses (D).

La Fayette (Mme de).
La Princesse de Clèves (S).

La Fontaine.
Fables (D).
Contes (D).

La Rochefoucauld.
Maximes (S).

Lautréamont.
Les Chants de Maldoror (D).

Machiavel.
Le Prince (S).

Marivaux.
Théâtre (t. 1), (D).

Mérimée.
NOUVELLES COMPLÈTES :
Colomba et *10 Autres Nouvelles* (D).
Carmen et *13 Autres Nouvelles* (D).

Molière.
Théâtre (t. 1), (D).
Théâtre (t. 2), (D).
Théâtre (t. 3), (D).
Théâtre (t. 4), (D).

Montaigne.
Essais (t. 1), (D).
Essais (t. 2), (D).
Essais (t. 3), (D).

Montesquieu.
Lettres persanes (D).

Musset.
Théâtre (t. 1), (D).
Théâtre (t. 2), (D).
Théâtre (t. 3), (D).
Poésies (D).

Nerval.
Poésies (S).
Les Filles du Feu suivi de *Aurélia* (S).

Nietzsche.
Ainsi parlait Zarathoustra (D).

Ovide.
L'Art d'aimer (S).

Pascal.
Pensées (D).
Les Provinciales (D).

Pétrone.
Le Satiricon (S).

Platon.
Le Banquet (S).

Poe (Edgar).
Histoires extraordinaires (D).
Nouvelles Histoires extraordinaires (S).

Pouchkine.
Récits (D).
La Dame de Pique (S).

Prévost (Abbé).
Manon Lescaut (S).

Rabelais.
Pantagruel (D).
Le Tiers Livre (D).
Gargantua (D).

Rimbaud.
Poésies complètes (S).

Ronsard.
Les Amours (D).

Rousseau.
Les Rêveries du Promeneur solitaire (S).
Théâtre (t. 2), (D).
Confessions (t. 1), (D).
Confessions (t. 2), (D).

Shakespeare.
Hamlet - Othello - Macbeth (D).

Sophocle.
Tragédies (D).
Stendhal.
La Chartreuse de Parme (D).
Le Rouge et le Noir (D).
Nouvelles (D).
Lamiel suivi de *Armance* (D).
Stevenson.
L'Ile au Trésor (S).
Suétone.
Vies des douze Césars (D).
Tacite.
Histoires (D).
Tchékhov.
Oncle Vania suivi de *Les Trois Sœurs* (S).
Ivanov et *Autres Pièces* (S).
Ce Fou de Platonov et *Autres Pièces* (D).
La Cerisaie (S).
Tolstoï.
Anna Karénine (t. 1), (D).
Anna Karénine (t. 2), (D).
Enfance et Adolescence (S).
La Sonate à Kreutzer suivi de *La mort d'Ivan Ilitch* (S).
Les Cosaques (S).
Nouvelles (D).
Résurrection (t. 1), (D), (t. 2), (D).
Tourgueniev.
Premier Amour (S).
Twain (Mark).
Contes choisis (D).
Vallès.
L'Enfant (D).
Verlaine.
Jadis et Naguère. Parallèlement (S).
Poèmes saturniens suivi de *Fêtes galantes* (S).
La Bonne Chanson (S).
Villon.
Poésies complètes (S).
Voltaire.
Romans (D).
X X X
Tristan et Iseut (S).

Le Livre de Poche policier

Allain (M.), Souvestre (P.).
Fantômas, 1631**.
Juve contre Fantômas, 2215**.
Fantômas se venge, 2342**.
Alexandre (P.), Roland (M.).
Voir Londres et mourir, 2111*
Boileau - Narcejac.
Les Diaboliques (Celle qui n'était plus), 1531*.
Les Louves, 2275*.
Sueurs froides, 2189*.
L'Ingénieur aimait trop les chiffres, 2411*.
A cœur perdu, 2328*.
Maléfices, 2549*.
Les visages de l'ombre, 2632*.
Bommart (Jean).
Le Poisson chinois, 2124*.
Buchan (John).
Les 39 marches, 1727*.
Les 3 otages, 1724**.
Cain (James).
Assurance sur la Mort, 1044**.
Calef (Noël).
Ascenseur pour l'Échafaud, 1415*.
Carr (Dickson).
La Chambre ardente, 930.*
Charteris (Leslie).
Le Saint à New York, 2190*.
Le Saint et l'Archiduc, 2376*.
Le Saint à Londres, 2436*.
La Justice du Saint, 2610*.
Le Saint et les Mauvais Garçons, 2393*.
Chase (James Hadley).
Eva, 936*.
Pas d'Orchidées pour Miss Blandish, 1501*.
Cheyney (Peter).
Cet Homme est dangereux, 1097*.
La Môme vert-de-gris, 1197*.
Christie (Agatha).
Le Meurtre de Roger Ackroyd, 617*.
Dix Petits Nègres, 954*.
Les Vacances d'Hercule Poirot, 1178*.
Le Crime du Golf, 1401*.
Le Vallon, 1464**.
Le Noël d'Hercule Poirot, 1595*.
Le Crime de l'Orient-Express, 1607*.
A.B.C. contre Poirot, 1703**.
Cartes sur table, 1999*.
Clarke (D.H.).
Un nommé Louis Beretti, 991*.
Decrest (Jacques).
Les Trois Jeunes Filles de Vienne, 1466*.
Deighton (Len).
Ipcress, Danger immédiat, 2202**.
Mes funérailles à Berlin, 2422**.
Doyle (Conan).
Sherlock Holmes : Étude en Rouge suivi de *Le Signe des Quatre*, 885**.
Les Aventures de Sherlock Holmes, 1070**.
Souvenirs sur Sherlock Holmes, 1238**.
Résurrection de Sherlock Holmes, 1322**.
La Vallée de la peur, 1433*.
Archives sur Sherlock Holmes, 1546**.
Le Chien des Baskerville, 1630*.
Son dernier coup d'archet, 2019*.
Doyle (A. Conan) et Carr (J. Dickson).
Les Exploits de Sherlock Holmes, 2423**.
Eastwood (James).
La Femme à abattre, 1224*.
Exbrayat (Charles).
La Nuit de Santa Cruz, 1434*.
Olé, Torero !, 1667*.
Dors tranquille, Katherine, 2246*.
Vous manquez de tenue, Archibald !, 2377*.
Les Messieurs de Delft, 2478*.
Le dernier des salauds, 2575*.
Les Filles de Folignazzaro, 2658*.
Fleming (Ian).
Chauds les glaçons, 1467*.
Entourloupe dans l'Azimut, 1484*.
Gaboriau (Emile).
L'Affaire Lerouge, 711**.

Giovanni (José).
Le Trou, 1959*.
Hammet (Dashiell).
La Clé de verre, 1569*.
Hart (F.N.).
Le Procès Bellamy, 1024**.
Highsmith (Patricia).
L'Inconnu du Nord-Express, 849**.
Plein Soleil (Mr. Ripley), 1519**.
Le Meurtrier, 1705**.
Eaux profondes, 2231**.
Hitchcock (Alfred).
Histoires abominables, 1108**.
Histoires à ne pas lire la nuit, 1983**.
Histoires à faire peur, 2203**
Iles (Francis).
Préméditation, 676*.
Irish (William).
La Sirène du Mississipi, 1376**.
Japrisot (Sébastien).
Compartiment tueurs, 2574*.
Leblanc (Maurice).
Arsène Lupin, gentleman cambrioleur, 843*.
Arsène Lupin contre Herlock Sholmes, 999*.
La Comtesse de Cagliostro, 1214**.
L'Aiguille creuse, 1352*.
Les Confidences d'Arsène Lupin, 1400*.
Le Bouchon de cristal, 1567**.
Huit cent treize (813), 1665**.
Les huit coups de l'horloge, 1971*.
La Demoiselle aux yeux verts, 2123*.
La Barre-y-va, 2272*.
Le Triangle d'Or, 2391**.
L'Ile aux trente cercueils, 2694*.
Le Carré (John).
Chandelles noires, 1596*.
L'Appel du Mort, 1597*.
Le Miroir aux espions, 2164**.
Leroux (Gaston).
Le Fantôme de l'Opéra, 509**.
Le Mystère de la Chambre Jaune, 547**.
Le Parfum de la Dame en noir, 587**.
Rouletabille chez le Tsar, 858**.
Le Fauteuil hanté, 1591*.
Monteilhet (Hubert).
Le Retour des Cendres, 2175**.
Les Mantes religieuses, 2357*.
Nord (Pierre).
Double crime sur la ligne Maginot, 2134*.
Terre d'angoisse, 2405*.
Queen (Ellery).
Le Mystère des Frères Siamois, 1040**.
Sayers (Dorothy).
Lord Peter et l'Inconnu, 978*.
Les Pièces du Dossier, 1668*.
Simenon (Georges).
Le Chien Jaune, 869*.
Simonin (Albert).
Touchez pas au grisbi, 1152*.
Steeman (S.A.).
L'Assassin habite au 21, 1449*.
Le Dernier des Six, 2230*.
Quai des Orfèvres, 2151*.
Un dans trois, 2464*.
Traver (Robert).
Autopsie d'un Meurtre, 1287**.
Van Dine (S.S.).
Le Fou des Échecs, 2341*.
Van Gulik (R.H.).
Le Mystère de la Chambre Rouge, 2274*.
Le Monastère hanté, 2437*.
Véry (Pierre).
L'Assassinat du Père Noël, 1133*
Vickers (Roy).
Service des Affaires classées (1er recueil), 976**.
Service des Affaires classées (2e recueil), 1300**.
Williams (Charles).
Fantasia chez les Ploucs, 1725*

30/0128/6